Rosalind Widdowson

Massages
de la tête et du cou

• MARABOUT •

Publié pour la première fois en Angleterre en 2000 sous le titre original *Head Massage* par Hamlyn,
d'Octopus Publishing Group Ltd, 2-4 Heron Quays, Docklands, London E14 4JP
© 2000 Octopus Publishing Group Limited.
© 2001 Marabout pour l'adaptation française.
Traduction : Florence Paban.

Mise en page : Anne-Marie Le Fur.

Imprimé en Italie par Milanostampa
ISBN : 2501 03649-2
Dépôt légal : N° 12072/Juin 2001

Sommaire

Introduction

J'ai passé ma jeunesse à explorer le monde et à multiplier les expériences nouvelles. L'un de mes premiers souvenirs est le spectacle des femmes africaines baignant leurs bébés dans la rivière, puis les massant avec de la graisse pour faire luire leur peau au soleil. Beaucoup d'entre elles passaient des heures debout à cuisiner ou à jardiner, en portant autour de la taille leurs enfants délicatement enveloppés dans des couvertures en laine. J'étais fascinée par la manière dont ces mères soignaient et nourrissaient leurs enfants. Durant toutes ces années passées à les côtoyer, je ne me souviens pas avoir jamais entendu un bébé pleurer de détresse. Je suis convaincue qu'ils étaient pleinement comblés par le rituel quotidien du bain et du massage, par la chaleur et le confort permanents que leur procuraient le contact et les mouvements de leur mère.

Le toucher a toujours joué un rôle fondamental dans mon métier de consultante en médecine naturelle. J'ai mis au point des techniques d'automassage afin d'améliorer la pratique du yoga et ma propre méthode de massage hi-ki. L'idée d'envelopper la tête des patients qui avaient des difficultés à accepter le toucher s'est avérée extrêmement utile, surtout chez les sujets ayant subi un traumatisme ou se trouvant en détresse physique ou affective. Cette technique est en évolution constante. Je l'ai récemment utilisée dans un centre de cancérologie où je travaillais en Allemagne, et je l'ai intégrée dans mes programmes de désintoxication et de lutte contre le stress.

Le hi-ki m'a été inspiré il y a longtemps par des propos du Mahatma Gandhi : « *Aucune culture ne peut survivre si elle se veut exclusive* ». Ces paroles me donnèrent l'envie de développer et d'intégrer toutes les merveilleuses pratiques existant à travers le monde. Au cours de mes voyages, je n'ai cessé de rencontrer de nouveaux maîtres et d'apprendre de nouvelles techniques. Le principe fondamental du hi-ki repose sur l'équilibre des énergies corporelles, mais aussi du lieu où est exercé le traitement. L'environnement joue un rôle fondamental : il complète et renforce à la fois l'efficacité des méthodes. Nous absorbons par une sorte d'osmose les énergies qui nous entourent. De fait, notre environnement affecte notre travail, notre repos et nos loisirs. On distingue ce qui est réellement vivant de ce qui ne l'est pas par la présence ou non de l'énergie vitale qu'est le *ki* ou *qi*, également appelé *prana*. Le *ki* représente le substrat énergétique et l'intelligence d'organisation.

Lorsque nous sommes vivants, il imprègne chaque parcelle de notre organisme, contribuant ainsi à assurer son bon fonctionnement. Le massage hi-ki stimule le flux et veille à canaliser cette force vitale à travers le corps. Plus les cellules reçoivent de *ki*, mieux elles résistent à la dégénérescence.

La fonction première du hi-ki est donc de contribuer à rééquilibrer le flux, quelles que soient les circonstances ou les influences extérieures. Le praticien commence par préparer le corps, l'esprit et le milieu, puis réalise un rituel de purification de la personne et de son environnement. Afin de faciliter votre approche, j'ai regroupé ces techniques de base dans des programmes qui constituent une méditation active. Plus vous les pratiquerez, plus votre toucher deviendra précis. Elles créent également un espace mental et physique. Le toucher aide à atténuer les rides et à sculpter un visage d'une beauté sans âge.

Cet ouvrage est structuré de manière à vous fournir les bases des techniques pratiquées dans toutes sortes de cultures. Certaines préservent et cultivent une forme d'autotraitement centré autour de la famille et de la communauté. D'autres, plus modernes et élaborées, tiennent compte de la réalité des méridiens et des *chakra* énergétiques ; elles sont regroupées dans la dernière partie de ce livre.

Les massages de la tête et du cou sont un moyen très efficace de diminuer le stress mental qui peut conduire, à plus ou moins long terme, à la dépression. Chacun de nous possède en lui le pouvoir de guérir. Avec vos mains vous pouvez vous aider, vous et les êtres qui vous sont chers, à être en meilleure santé. Ce livre est le fruit de plus de 35 années de pratique inspirée à la fois des méthodes orientales et occidentales. Comme chaque jour continuera à être une révélation, mon enseignement aussi poursuivra son évolution en fonction de facteurs dont je n'ai pas encore conscience aujourd'hui.

Le massage de la tête et du cou est une thérapie classique sans cesse renouvelée. La médecine moderne commence seulement à se rendre compte des bienfaits de ces thérapies. Nous sommes tous heureux de voir tomber les préjugés sur le sujet. Beaucoup de personnes prennent désormais conscience que la santé n'est pas la chasse gardée de la médecine allopathique. Sa responsabilité incombe à chacun de nous, et e vous engage vivement à exercer la vôtre.

Je vous souhaite bonne chance sur la voie de la santé et du bonheur.

Origines et histoire du massage de la tête et du cou

Le massage est probablement l'une des thérapies les plus anciennes de l'Humanité. Le premier témoignage écrit date de 3000 av. J.-C. L'*Ayur Veda*, le texte fondateur de la médecine ayurvédique en Inde, fut rédigé aux alentours de 1800 av. J.-C., et plusieurs temples et tombeaux de l'Égypte ancienne sont ornés de scènes de massages.

Il y a 3000 ans, le légendaire «Empereur jaune » rédigea *Nei Ching*. Il y décrit avec minutie la théorie et la pratique de la médecine orientale classique où foisonnent les références à l'art du massage. Dans l'Antiquité, les médecins grecs et romains l'utilisaient pour soigner leurs patients et soulager leurs douleurs. Vers 500 av. J.-C., Hippocrate, le père de la médecine moderne, écrivait : *« Le médecin doit posséder de nombreuses compétences, mais surtout savoir pratiquer une friction… Car une friction peut renforcer une articulation trop souple et assouplir une articulation trop raide »* La plupart des religions approuvent le massage, en particulier l'imposition des mains. En Orient, il est depuis toujours considéré comme un art essentiel chez les médecins et les guérisseurs. Malheureusement, dans le monde occidental, le traitement par le toucher tomba en désuétude dès le Moyen Âge, sous l'influence du christianisme qui prônait le mépris du corps et des « plaisirs terrestres ». L'Occident redécouvrit après la Renaissance cette pratique ancienne. Toutefois, en Europe, il fallut attendre Per Henrik Ling et sa méthode dite de « massage suédois » pour qu'elle retrouve enfin ses lettres de noblesse. Au fil des siècles, la Chine, le Japon, l'Inde, l'Égypte, la Grèce et Rome ont apporté leur savoir-faire à la technique du massage. Grâce au trésor de connaissances accumulées, il existe aujourd'hui une multitude de traitements disponibles.

Leurs bienfaits sur la santé sont de plus en plus reconnus dans l'univers de l'autothérapie. Idéal pour diminuer le stress mental dangereux à long terme, le massage de la tête et du cou repose sur une communication non-verbale qui lui est propre. Ce moment de détente est à lui seul une expérience formidable, mais les traitements consécutifs vous apporteront bien davantage. Ils vous aideront à vous reconstituer et à revivre, en vous débarrassant de vos tensions et de votre stress. Le massage est un ensemble de techniques mises au point par tâtonnement dans le monde entier depuis des milliers d'années. Les Anciens savaient soigner et traiter avec les mains bien avant l'invention de la médecine allopathique. Nul ne perpétue mieux la tradition ancienne du massage de la tête que l'École de massage traditionnel de Wat Po, à Bangkok, où se trouve le célèbre Bouddha couché. Cette école abrite les textes anciens et les représentations de méridiens essentiels aux praticiens-guérisseurs et à leurs professeurs. L'école de Wat Po illustre avec perfection l'épanouissement de l'art antique du massage dans la culture moderne.

Page de gauche : Le Bouddha couché, Wat Po, Bangkok, Thaïlande.

Ci-dessous : Diagrammes de méridiens ornant les murs de l'École de massage traditionnel de Wat Po.

Bienfaits physiques et mentaux

L'art du massage ouvre la voie de la santé et de la guérison. Grâce à lui, vous pourrez commencer à vivre en harmonie avec la nature et avec vous-même. Voici une liste de ses nombreuses applications.

Cancer

L'autotraitement et l'enveloppement de la tête peuvent beaucoup améliorer le confort de personnes atteintes de l'une ou l'autre des formes de cette grave maladie.

Cheveux et cuir chevelu

Le massage de la tête et du cou rééquilibre les sécrétions et régule les cuirs chevelus secs ou gras.

Circulation

Elle peut être considérablement améliorée : disparition de la sensation de froid dans les extrémités (mains et pieds), et des engelures. Le massage de la tête et du cou peut aussi contribuer à prévenir les crampes, le syndrome prémenstruel, les troubles de la ménopause, les maux de tête et les crises de panique.

Clarté d'esprit

L'apaisement des sens aide à chasser les mauvaises pensées et à retrouver un esprit calme et des idées claires.

Concentration et mémoire

Un traitement spécial et une attention particulière auront raison d'un *ki* stagnant. Il suffit souvent de mouvements de massage équilibrés et un bon positionnement du corps pour retrouver une certaine concentration. Ces mouvements sont une sorte de méditation active, qui ouvre la voie de la découverte de soi et de la spiritualité.

Dépendances

Le principe du massage est de reconnecter le patient avec les rythmes naturels de la vie et de restaurer un sentiment de bien-être intérieur qui réveillera le flux de la guérison.

Dépression et anxiété

Le corps est un ordinateur complexe qui mémorise tous vos maux et toutes vos souffrances. En quelques minutes, un praticien peut repérer les traumatismes corporels, les apaiser, puis effacer des strates d'inconfort. Le toucher, l'un des premiers sens que nous développons et l'un des derniers à disparaître, est un langage en soi. Il peut procurer amour et soulagement, même lors de grands traumatismes.

Fonctions corporelles

La manipulation de points de compression précis peut libérer des connections vitales, et

prévenir et soulager des maux de tous les jours tels que l'asthme, la bronchite, la constipation, l'indigestion, la tension artérielle, les problèmes de peau et de détresse mentale et physique.

Lifting naturel

Le sourire est le meilleur des liftings. Le massage de la tête et du cou remplacera vos expressions anxieuses, tendues, crispées et fatiguées par un sourire.

Maux de tête et migraines

Le massage peut rétablir l'équilibre des pressions dans la tête, dégager les sinus, rééquilibrer le fluide synovial, détendre les muscles du cou et des épaules, et soulager la vue.

Pellicules

Certaines huiles et une pratique régulière auront raison de ce problème mineur.

SIDA

Les techniques d'enveloppement susceptibles de soulager les malades du SIDA sont apparues dans des cliniques de Thaïlande, de Ste-Lucie, de Grèce, d'Allemagne et d'Angleterre. Elles peuvent être d'une grande efficacité. En outre, le bruit apaisant des mouvements des mains évoque le va-et-vient des vagues, procurant ainsi une sensation de bien-être et de calme.

Système immunitaire

La disparition des blocages améliore la résistance de l'organisme aux maladies.

Système nerveux

En supprimant la fatigue et un stress profondément ancré, on calme, on détend et on tonifie ce mécanisme complexe.

Traumatisme affectif

De la délicatesse et de l'attention peuvent y remédier instantanément.

Vieillissement

Le massage de la tête et du cou ralentit le processus de vieillissement en aidant le corps et l'esprit à fonctionner au mieux de leur forme.

Une vie de stress

Nous n'avons pas évolué assez rapidement pour faire face aux exigences de notre environnement stressant et riche en informations, où tout va vite. En termes d'évolution, nous en sommes restés à l'âge de pierre : nous sommes parfaitement adaptés à la vie de chasseur-cueilleur, mais pas à celle du cadre d'entreprise ou de la mère de famille active.

Notre système endocrinien régente totalement notre vie en produisant des hormones, ces messagers chimiques qui régulent notre métabolisme, notre humeur, notre sexualité et nos réactions de survie. Lorsque le système fonctionne en parfait équilibre, nous sommes positifs, curieux et assoiffés de vie. Si, pour une raison ou pour une autre – physique, affective ou mentale –, cet équilibre est rompu et si le système se met à mal fonctionner, s'il est endommagé ou s'il tourne trop longtemps à plein régime, nous vivons stressés.

La vie moderne nous confronte à une multitude de pressions et à des problèmes qui souvent nous dépassent. Notre système endocrinien – ce cocktail d'hormones qui prépare l'organisme à l'effort physique et mental – réagit par le stress. Contrairement à nos ancêtres, qui n'avaient que des besoins immédiats, notre instinct de survie nous oblige parfois à vivre en surrégime. À long terme, nous nous trouvons dans une situation de stress chronique qui bloque nos réactions immunitaires et nous rend particulièrement vulnérables aux infections virales, d'où un risque accru de crise cardiaque, de cancer et de troubles de la mémoire.

Il peut nous arriver de mener une vie stressée sans vraiment en avoir conscience. Pour beaucoup d'entre nous, l'habitude de vivre à marche forcée afin de survivre est devenue une seconde nature. Nous avons relégué aux oubliettes toute réflexion sur l'usage que nous faisons de notre temps.

Au XXIe siècle, le stress sera l'une des premières causes de maladie. Entrer dans la routine est une chose ; lever le pied et décompresser en est une autre. Il est pourtant impossible d'y échapper : nous devons tous choisir une manière de régler ce problème, car nous finirons par épuiser nos capacités d'adaptation.

Trop souvent, lorsque le rythme s'emballe, nous réagissons par réflexe en raidissant notre esprit et notre corps pour « tenir bon », et protéger nos ressources énergétiques en baisse. Les signes extérieurs sautent rapidement aux yeux : davantage de maquillage, des bijoux en métal lourd, des tenues plus sombres, des voitures plus rapides pour nous amener « à l'heure » au travail. Nous sommes souvent inconscients de l'image que nous avons créée pour garder le contrôle.

Le vieil adage selon lequel « plus on réussit, moins on est en bonne santé » s'avère exact. Malheureusement, à notre époque, l'idée que « pour voyager loin, il faut voyager léger » est une chimère. Les responsabilités que nous assumons et nos schémas de pensée croissants pèsent sur notre organisme. Nous ne sommes plus capables d'avancer avec légèreté sur terre ; nous enfonçons nos pieds pour imprimer notre empreinte.

Vivre à cent à l'heure signifie souvent mal se nourrir et privilégier les féculents, les graisses, le sel et le sucre. Certains se mettent ensuite à boire, puis à se droguer pour reprendre pied. Les conséquences inévitables d'une vie stressée finissent par se lire sur notre visage et sur nos cheveux. Apprenez les gestes d'un massage de la tête et du cou et laissez vos mains soigner votre vie.

Vivre sans stress

Pour s'apaiser et sortir d'un cycle de stress chronique, les méthodes reconnues et approuvées sont nombreuses. En voici quelques-unes qui m'ont été utiles au cours de ma vie.

Stimulants mentaux naturels

L'anxiété est un fléau, surtout chez ceux qui manquent de vitalité et de tonus. Elle ne fait qu'affaiblir votre volonté, miner vos nerfs, déstabiliser vos schémas de pensée et vieillir votre organisme. Les soucis ne sont que les fantômes de votre imagination ; ils ne sont absolument pas « réels ». La preuve, la confiance en soi signe leur arrêt mort immédiat. Vous n'imaginez pas les bienfaits de certaines affirmations positives telles que : « Je vais surmonter cette crise », « Je vais aller bien », ou mieux, « Je suis bien ». Répétez-vous ces phrases à chaque fois que vous vous sentez sur la mauvaise pente. Cette méthode peut à elle seule faire des miracles et vous aider à écarter le stress de votre vie. Détendez-vous et riez. Lorsque la vie menace de vous engloutir, deux réactions sont possibles. Par habitude, certains glissent dans la dépression et l'introspection ; d'autres préfèrent voir le bon côté des choses et replacer la situation dans un contexte plus large. Ils produisent ainsi une énergie communicative, joviale et positive, qui leur permet de prendre du recul et de trouver la solution pour aller de l'avant.

Les méthodes de relaxation et de méditation ont prouvé qu'elles permettaient de se débarrasser d'un stress chronique, de se calmer et de récupérer. Pourquoi ne pas faire une séance de yoga au moins une fois par semaine ? Ou encore essayer les excellentes cassettes ou CD de relaxation en vente dans le commerce ? Vous verrez que vous aurez peu à peu moins de sujets d'irritation et de stress. L'écoute partagée est un outil psychologique reconnu. Savoir que l'on dispose d'un exutoire pour exprimer ses pensées, ses sentiments, ses frustrations, et que l'on est écouté, a un effet tonique formidable. Il arrive souvent que notre voix intérieure essaie de nous dire quelque chose et que nous l'ignorions, quitte à le regretter plus tard. L'écoute partagée, quelle que soit sa forme, peut nous apprendre à écouter les autres, mais aussi nous-mêmes.

Stimulants physiques naturels

Un programme associant yoga et stretching constitue la base d'une vie équilibrée. Une désintoxication régulière, voire occasionnelle, du système digestif et alimentaire est un autre moyen traditionnellement reconnu de déstresser un organisme surmené et surchargé. Des thérapies telles que les lavements du colon, peuvent améliorer considérablement les niveaux d'énergie. Démarrez la journée par une tasse d'eau chaude. Veillez à boire suffisamment, et pas seulement des boissons riches en toxines et en caféine comme le thé et le café. Prenez le temps de souffler. Inspirez profondément à plusieurs reprises en emplissant la partie inférieure de vos poumons. Les employés de bureau souffrent souvent d'une mauvaise oxygénation due à une position assise prolongée et à un manque d'exercice. Débarrassez-vous de vos soucis en début et en fin de journée. Associez votre imagination et vos pouvoirs de visualisation à l'acte physique de la toilette (cf. la cascade page 31). Faites du rangement. Le feng shui est le meilleur moyen de créer des espaces de sérénité.

Initiation
au hi-ki

1

Créer un environnement de guérison

Pour qu'une séance de massage de la tête et du cou soit réussie et que votre partenaire la vive comme une expérience agréable, un certain nombre d'éléments essentiels doivent être réunis. Il convient avant tout de créer un environnement de guérison convivial. La sonnerie du téléphone, les courants d'air, les interruptions, un éclairage agressif et autres peuvent ruiner une expérience pourtant immensément savoureuse.

Ci-dessus : Des tissus naturels dans des tons doux et nuancés, des fleurs et des plantes vertes vous aideront à vous reconnecter avec l'esprit de guérison.

Page de droite : Vous obtiendrez de meilleurs résultats si votre partenaire est confortablement assis ou allongé en position d'équilibre dans un environnement agréable.

Choix des conditions de travail

Nous verrons les principales surfaces de massage à votre disposition dans les pages suivantes. Essayez-les avant de faire votre choix. L'important est d'avoir une bonne position par rapport à votre partenaire afin d'éviter le mal de dos ou de genoux. Votre partenaire doit être confortablement assis ou allongé en position d'équilibre. Ne vous laissez pas persuader de pratiquer votre traitement en dehors de votre propre environnement si vous savez que le site manque réellement de confort.

Un environnement calme et paisible

Veillez à choisir pour la séance un moment et un lieu où vous ne risquez pas d'être interrompu ni distrait. Débranchez tous les appareils électriques superflus, coupez la sonnerie du téléphone et branchez le répondeur. Et surtout, demandez à votre partenaire d'éteindre son téléphone mobile. Prévoyez au moins 45 minutes pour un traitement complet.

Musique

De nos jours, le silence est une denrée rare. Les lieux privés et publics sont bombardés de bruits. Le massage de la tête et du cou est un traitement très sensitif, et les sons naturels des mains en action font eux-mêmes partie de la thérapie. C'est à votre partenaire de décider s'il souhaite ou non écouter de la musique. Dans l'affirmative, je recommande un CD de sons naturels ou de musique d'ambiance. Quand vous connaîtrez bien un album, vous mesurerez mieux l'écoulement du temps et la progression de votre traitement.

Température et ventilation

La température de la pièce doit se situer aux alentours de 21 °C, voire davantage si vous travaillez au sol. Prévoyez une aération, surtout si vous brûlez de l'encens. Mais attention aux courants d'air. Et dès que possible, travaillez au grand air.

Éclairage

L'idéal est de loin une lumière naturelle tamisée. Toutefois, en utilisant des bougies, vous pourrez créer une ambiance, même en plein jour. La nuit, un éclairage faible et indirect ou des bougies produiront l'atmosphère voulue. Évitez les lumières trop violentes, éblouissantes ou froides.

Purification de la pièce

Comme nous le verrons page 30, l'« enfumage » est une méthode traditionnelle de purification à la fois physique et psychique d'un espace. Enfumez la pièce ou faites brûler de l'encens, et laissez la fumée se dissiper avant de commencer le traitement.

Rangement

Retirez de la pièce tous les objets superflus, en particulier ceux qui rappellent à votre partenaire le travail ou l'environnement qu'il vient tout juste de quitter. Citons par exemple les chaussures, les manteaux, les sacoches et les sacs à main. Travaillez dans un espace aussi dépouillé que possible et débarrassé de tout désordre.

Choix des draps

Je recommande l'usage exclusif de draps, coussins, couvertures et bandages en fibres naturelles.

Il existe également des couvertures hypoallergéniques. Réchauffez les couvertures si elles sont froides. Pour plus de confort, vous pouvez même au besoin proposer une bouillotte.

Huiles essentielles et lotions

Le massage de la tête peut se passer d'huile et de lotion. Mais pour le dos, le cou et les épaules, mieux vaut utiliser des lotions employées en aromathérapie. Généralement mélangées à de faibles quantités d'agents essentiels actifs, elles sont très bien tolérées. On les trouve facilement dans le commerce. Lorsque l'on débute, elles sont plus faciles à utiliser que les huiles essentielles. N'oubliez pas de les réchauffer avant le traitement. Prévoyez plusieurs lotions, et laissez à votre partenaire le soin d'en choisir une.

Point de convergence

Isolez un espace pour créer un point de convergence. Incorporez-y un ensemble d'éléments naturels tels que des fleurs, des plantes et autres objets symbolisant les cinq éléments de la tradition chinoise : le métal, le bois, l'eau, le feu et la terre. L'effet produit par cette petite touche finale dépasse souvent largement l'effort qu'elle aura coûté. Pour votre partenaire, la séance de massage sera un moment spécial, sortant de l'ordinaire, d'où une valeur thérapeutique accrue.

Massage en extérieur

Les massages en extérieur posent parfois des difficultés, mais le jeu en vaut vraiment la chandelle. Le plaisir que procure l'ombre d'un arbre ou le bruissement d'une rivière, décuple les bienfaits du traitement.

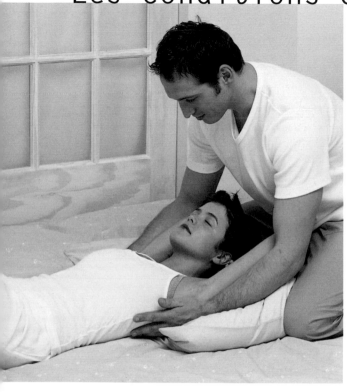

Ci-dessus : Un matelas au sol est une option de travail tout à fait acceptable.

partenaire peut s'installer en travers du matelas. Comme ce n'est pas la hauteur idéale, il vous faudra probablement vous asseoir sur une chaise ou vous agenouiller sur un coussin ferme. Étant donné que vous ne pourrez probablement pas glisser vos genoux sous le lit et vous approcher suffisamment de votre partenaire, vos gestes risquent de manquer d'aisance. Cela dit, cette option convient à des traitements curatifs de courte durée, lorsqu'il n'existe pas d'autre solution ou que votre partenaire est alité. Elle présente également l'avantage de ne nécessiter ni lourds préparatifs, ni rangement ultérieur. En outre, la plupart des chambres sont aménagées dans un esprit de détente et disposent d'un éclairage indirect qui ne peut que renforcer l'efficacité du traitement.

Table de massage

Rien à dire, la table de massage a la hauteur et la structure idéales – et c'est bien pour cela que les professionnels l'utilisent. Plus haute qu'un lit classique, elle vous permet de glisser vos jambes et vos genoux en dessous, et de vous approcher le plus près possible du sujet lorsque les techniques l'exigent. Il est également facile de travailler de tous les côtés et à toutes les hauteurs, de la position assise à la position debout. Qu'on l'achète ou qu'on la fabrique soi-même, elle doit être solide et inspirer confiance. Je trouve personnellement que la plupart des tables sont un peu trop étroites, il faut bien trouver un

Au sol

L'installation d'un lit au sol vous permettra, si vous avez suffisamment de place, d'accéder facilement à toutes les parties du corps de votre partenaire. Lui-même pourra se laisser aller complètement, céder aux lois de la gravité et se détendre totalement. Le contact avec le sol rassure, car il n'y a pas de raison de craindre de s'endormir et de tomber – élément perturbateur important chez les personnes qui appréhendent de se laisser aller. Cette option de travail pose toutefois un inconvénient majeur :

elle limite certains types de mouvements ou techniques qu'il faudrait adapter à la position allongée sur le ventre. En outre, le masseur doit avoir un dos assez souple, car il doit se baisser et se déplacer davantage. Toutefois, vous devriez rapidement surmonter les maladresses du début et vous familiariser avec cette pratique.

Lit classique

Vous pouvez adapter et utiliser n'importe quel lit classique. S'il s'agit d'un lit double équipé d'une tête et d'un pied, votre compromis entre l'aisance du masseur et le confort du patient.

Tabouret

Un tabouret, ou une paire de tabourets réglables, remplace avantageusement la position allongée sur le dos. Il permet d'évaluer et de corriger le maintien du corps – si souvent à l'origine de tensions au niveau de la tête, du cou et des épaules –, d'avoir facilement accès à votre partenaire et d'être à la bonne hauteur. Les techniques indiennes de massage de la tête et du cou préconisent que le masseur dépasse le patient d'au moins une ou deux têtes. C'est important si vous soutenez son dos et sa tête avec votre corps, et si vous devez le bercer. En l'absence de dossier, vous êtes son seul soutien ; par conséquent, il est indispensable de garder une main en contact permanent avec lui. Pour l'inciter à se détendre et à fermer les yeux, vous devez devenir son « guide » et lui donner confiance pendant la séance de massage. Cette position apaisante et intime est d'un grand confort pour les deux partenaires.

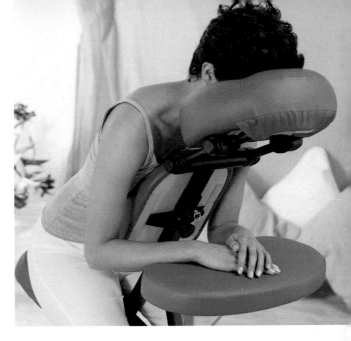

Table et chaise

Pour un traitement « improvisé » dispensé au domicile ou au bureau, le mieux est d'utiliser une table et une chaise. La plupart des tables sont réglées à 75 cm de hauteur, et les chaises ont généralement de bons dossiers. Afin que la position de massage soit convenable, il suffit d'ajouter un grand coussin sous le torse et une serviette roulée sous la tête. Notons toutefois quelques réserves. Votre partenaire aura l'abdomen comprimé ; il faudra donc alterner les mouvements pour lui permettre de se redresser. Enfin, la plupart des tables et des bureaux sont trop larges pour permettre de pratiquer les techniques où vous devez vous positionner face à lui.

Ci-dessus : la chaise de massage pliante est la solution idéale pour une pratique régulière du massage de la tête.

Chaise de massage pliante

Et voici enfin le matériel idéal : la chaise de massage professionnelle, pliante et portable. Plus d'obstacle entre vous et votre partenaire qui se trouve en parfait équilibre et libre de ses mouvements. Soutenu tout au long du traitement, il se sentira totalement détendu. Vous pourrez d'ailleurs profiter de la force de gravité pour travailler sur vous-même. Cette chaise présente d'autres avantages : rangement facile, solidité et accessoires variés. D'un prix abordable, elle est idéale pour tous ceux qui considèrent les massages fréquents de la tête et du cou comme un outil thérapeutique.

Une simple table et une chaise, chez soi ou au bureau, peuvent facilement s'adapter à un traitement improvisé.

Préparation du masseur et de son partenaire

Une préparation minutieuse est nécessaire à une bonne pratique et vous aidera à concentrer votre corps et votre esprit. Prenez le temps de veiller aux détails. Vos séances de massage deviendront un moment spécial et gratifiant. Voici quelques règles fondamentales.

Avant de commencer, assurez-vous que votre partenaire se tient parfaitement droit et que sa tête est dans l'axe de sa colonne vertébrale.

Bain

Prenez une douche chaude avec un gommage corporel. Utilisez une éponge naturelle ou un gant, et des produits sans parfum. N'oubliez pas que votre déodorant risque de se mélanger aux huiles de massage, voire d'incommoder votre partenaire. Avant de commencer, faites la cascade, processus de purification psychique (cf. page 31).

Mains et ongles

Vérifiez que vos ongles sont propres, coupés courts et non vernis. Lavez vos mains à l'eau chaude pour le confort de votre partenaire, et assurez-vous que les coupures ou éraflures sont protégées par un pansement résistant à l'eau.

Cheveux

Pendant la séance, votre partenaire doit avoir le visage et le cou dégagés. Nouez les cheveux longs à l'aide d'un foulard en coton. Si vous avez vous-même les cheveux longs ou gênants, attachez-les.

Tenue vestimentaire

Portez des vêtements amples et confortables qui permettent à votre corps de respirer et vous laissent libre de vos mouvements. Je recommande les fibres naturelles et les teintes pastel pour créer une atmosphère de détente.

La sécurité avant tout

Avant de commencer, rappelez-vous les contre-indications fondamentales (cf. pages 28 et 29). N'ayez pas peur de poser des questions précises sur les antécédents et l'état de santé de votre partenaire. Parlez des régions tendues, blessées ou douloureuses de son corps. La posture est un indice essentiel. Observez tout déséquilibre ou zone fragilisée.

Livre de bord

Conservez une trace écrite des traitements successifs dispensés à chacun de vos partenaires afin de pouvoir évaluer vos progrès – aussi bien les vôtres que les siens.

Dernières vérifications

Revoyez les techniques et les gestes que vous allez employer pendant le traitement afin d'être sûr de votre méthode. Vos mouvements n'en seront que plus fluides.

Position du corps

Assurez-vous que votre partenaire tient la tête parfaitement dans l'alignement de la colonne vertébrale, et que ses bras et ses jambes sont détendus. N'hésitez pas à vous mettre assis ou debout sur lui en répartissant uniformément le poids de votre corps. Marquez une pause pour vous concentrer avant de commencer.

Respiration

Avant de démarrer, synchronisez vos respirations. Inspirez ensemble à un rythme naturel et libre afin de vous retrouver en phase avec les énergies de votre partenaire.

Touche finale

Terminez chaque phase et chaque séance par un geste affectueux. Par exemple, prenez la main de votre partenaire ou posez la vôtre sur son épaule.

Rafraîchissement

À la fin de la séance, offrez à votre partenaire un verre d'eau pour le réhydrater et pour faciliter le processus de désintoxication favorisé par le massage.

Réciprocité

Le massage est d'autant plus agréable que les efforts sont réciproques, ce qui a pour autre avantage de dissiper toute sensation de relation spécialiste/client et d'instaurer au cœur du traitement un équilibre des échanges. Encouragez un ami à étudier les techniques présentées ici et prenez l'habitude de vous masser l'un l'autre. Vous pourrez ainsi comparer vos réflexions sur la progression du traitement.

Identifier les zones de massage

Les méridiens et la tête

Les textes les plus anciens de médecine orientale, en particulier ceux qui nous viennent de Chine et du Japon, s'intéressent à l'équilibre de deux forces opposées mais complémentaires, le *yin* et le *yang*. Ces forces entrent dans la composition de toute chose sur terre, qu'elle soit physique ou immatérielle, et l'affectent – obscurité et lumière, passif et actif, femelle et mâle, chaud et froid, eau et feu, ouvert et fermé, mou et dur. Comme tout ce qui se trouve dans la nature, les êtres humains sont de subtils mélanges de ces qualités. Notre organisme, nos émotions et notre esprit sont régis par l'interaction de courants énergétiques, le *ki* ou *qi*, qui circulent par des canaux appelés méridiens. Lorsque l'équilibre naturel est rompu par des forces extérieures (blessure) ou par des facteurs internes (stress), des traitements tels que le shiatsu, le reiki et la thérapie des zones de réflexe peuvent rétablir le flux du *ki* et rendre la santé. La plupart utilisent un moyen universellement reconnu, le toucher.

Instaurer la confiance

Le travail que nous présentons ici prend en compte tous les principes de ces systèmes, mais n'exige pas que vous deveniez des spécialistes. Des années sont parfois nécessaires pour acquérir une parfaite connaissance de la médecine orientale, et cela n'intéresse probablement que les thérapeutes.

Toutefois, certains de ses éléments fondamentaux vous seront très utiles lors de vos massages. Vous remarquerez chez certaines personnes une forte répugnance à se laisser toucher. Le massage de la tête et du cou est une pratique intime : n'oubliez jamais que vous ne devez le pratiquer qu'avec la confiance de votre partenaire.

Le flux du *ki*

Le *ki* ou *qi* ne circule pas nécessairement en lignes droites, comme vous le voyez sur les illustrations ci-contre. Il existe des points vitaux, appelés *tsubos*, où le *ki* est le plus facile à atteindre et à manipuler. Les méridiens, par exemple, affleurent lorsqu'ils sont étirés. Vous allez découvrir les positions où le placement exact de vos doigts et de vos pouces sera le plus bénéfique.

Vous comprendrez clairement l'importance du massage de zones prédéterminées avec les doigts. Malgré la réalité et l'efficacité prouvée des techniques orientales, la médecine occidentale n'a pas encore réussi à concevoir un moyen de les intégrer à un traitement allopathique.

Ces énergies étant par essence abstraites, elles ne se prêtent à aucun test ni mesure, du moins selon les critères scientifiques occidentaux.

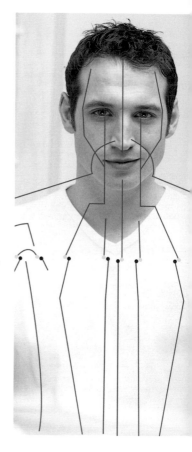

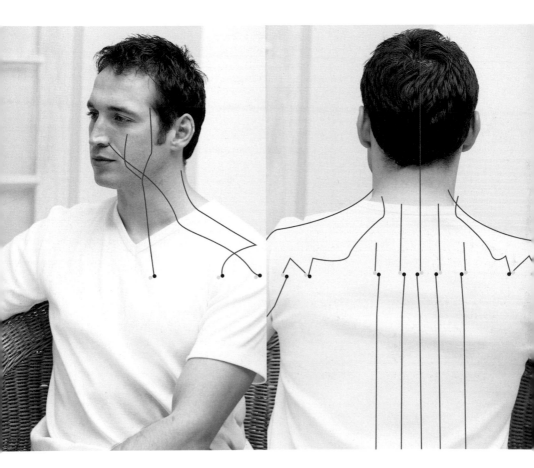

Les méridiens du visage, du front, du cou, des épaules et du dos.

Équilibre naturel

Importance de la position

Prenez conscience de votre position pendant la séance. Ainsi, vous parviendrez mieux à conserver votre énergie, et le traitement n'en sera que plus efficace. Pour tonifier vos muscles et assouplir vos articulations, vous pouvez offrir à votre corps un « entraînement » naturel avec un minimum d'effort en effectuant tout simplement les mouvements quotidiens : marcher, se lever, s'asseoir et se reposer.

Voici les règles d'or du massage de la tête et du cou :
- répartissez votre poids uniformément sur les arêtes extérieures de vos pieds pour ne pas affaisser le cou-de-pied ;
- vérifiez l'alignement du corps : les lignes horizontales de gauche à droite, et les lignes verticales de haut en bas ;
- pensez à inspirer et à expirer à un rythme détendu et libre ;
- marchez la tête haute et oubliez vos articulations et vos muscles. Imaginez-vous léger lorsque vous vous sentez las.

△ Mauvaise position

Se replier sur soi et s'affaisser sur son centre affectif a des répercussions sur la façon de vivre. Penchez-vous en arrière et vos pensées plongeront dans le passé. Penchez-vous en avant et vous pourrez embrasser l'avenir. Pour profiter du moment présent, il faut se tenir droit.

△ Bonne position

Imaginez qu'un livre est posé en équilibre sur votre tête. Penchez toute votre colonne légèrement en avant. Souvenez-vous que vous positionnez non seulement votre corps mais aussi votre esprit. Cette technique de base peut vous prémunir contre les maladies si souvent provoquées par des blocages physiques dus à une mauvaise position et à des vêtements gênants.

position de votre partenaire

Yeux S'ils sont ouverts, ils doivent regarder juste en dessous du niveau de l'œil. S'ils sont fermés, demandez à votre partenaire de regarder vers l'intérieur et de visualiser le *chidakasha*, l'espace intérieur baptisé le « tableau noir de l'esprit ».

Oreilles Les sommets dans l'alignement des lobes pour faciliter l'extension de la nuque.

Nez Dans l'axe du nombril afin de garantir le bon alignement du visage.

Lèvres Souples et légèrement entrouvertes pour que la mâchoire soit détendue.

Mâchoire Détendue, la langue décollée du palais. Ne pas serrer les dents.

Menton À angle droit avec la poitrine pour éviter la formation de tensions dans la nuque.

Poitrine Ouverte et détendue pour laisser le sternum mobile pendant la respiration.

Épaules Légèrement tirées vers le bas et l'arrière. Resserrez doucement les omoplates pour ouvrir le sternum.

Bras Légèrement écartés pour créer une sensation d'espace et d'ouverture.

Mains Délicatement posées sur les genoux pour faire office d'« amortisseurs » lorsque la pression vers le bas s'affermit.

Colonne vertébrale Étirée sans être rigide, légèrement penchée en avant à partir des hanches. Permet une respiration plus profonde.

Taille et bas du dos Cette partie du corps ne doit pas être trop cambrée – elle doit rester plutôt plate.

Hanches Légèrement plus hautes que les genoux pour éviter une pression dans le bas du dos.

Bassin et os pubien Légèrement inclinés vers l'avant pour que, en position assise, le poids porte directement sur le rectum.

Jambes Dans l'axe des articulations des hanches, en s'assurant que les genoux et les chevilles ne sont pas contractés et ne créent pas de tension indésirable dans les hanches.

Chevilles et pieds À plat et collés au sol, les genoux à l'aplomb de la partie antérieure de la plante du pied de manière à exercer une légère pression sur le point vital situé sur la plante du pied, entre le gros orteil et l'orteil suivant.

position du masseur

Tête et cou Bougent librement au cours du massage. Pendant la séance, veillez à ne pas serrer les dents, ni à pincer les lèvres, ni à froncer les sourcils.

Visage Passif, la mâchoire détendue et les lèvres souples, pour éviter la formation de tension faciale et la perte d'énergie et de concentration.

Épaules Basses, en arrière et souples. Suivent le rythme et le flux de chaque mouvement.

Bras Évitez de contracter les bras dans le corps lors des mouvements de percussion. Conservez les doigts, les poignets et les coudes détendus pour empêcher la formation de tension dans les épaules et le haut du dos.

Poitrine Laissez l'air circuler librement et évitez de vous affaisser sur votre centre affectif.

Colonne vertébrale Étirée sans être raide, et conservant une certaine souplesse. Placez le plus possible toute la colonne dans l'axe. Ne cambrez pas exagérément le dos pour tenter de conserver une bonne position.

Hanches et buste Face à la zone de travail.

Bassin Légèrement incliné vers l'avant de façon à ce que, en position assise, votre poids porte sur le rectum.

Jambes Évitez de les contracter afin d'empêcher des tensions dans les hanches et la colonne vertébrale. En position debout, ménagez les genoux mais ne tendez pas trop les jambes. Gardez les muscles « souples ».

Chevilles et pieds Travaillez le plus possible pieds nus. Vous pourrez ainsi veiller à ne pas agripper le sol avec vos orteils et à ne pas provoquer des tensions dans tout votre corps.

« Une position d'équilibre naturel trace une ligne ténue entre la conscience totale et la relaxation totale. »

Huiles, lotions et potions naturelles

Les huiles essentielles

Les huiles sont employées en aromathérapie, un vaste champ thérapeutique qu'il ne faut pas pratiquer sans l'avoir préalablement étudié. Il en existe pour tous les constituants végétaux, que ce soient les racines, les tiges, les écorces, les feuilles, les fleurs, les bourgeons, les graines, les noix, les fruits et les résines. Toutes produisent de précieux agents actifs connus depuis longtemps pour leurs propriétés thérapeutiques. À quelques rares exceptions près, elles ne peuvent pas être appliquées directement sur la peau ou les cheveux, et doivent être diluées dans une huile de base (à raison de six gouttes d'huile essentielle pour 10 ml d'huile de base).

Les huiles de base

Elles sont les produits de massage les plus courants. Les meilleures, comme l'huile d'olive, sont extraites par première pression à froid. Les huiles de tournesol, de carthame, de pépins de raisin, de sésame, d'amande douce et d'avocat sont parmi les plus répandues. Elles servent en aromathérapie à diluer les huiles essentielles.

Les lotions

Les lotions présentent un certain nombre d'avantages, en particulier pour les débutants. Vendues prêtes à l'emploi en dosages faibles, elles ne sont pas trop liquides, ne tachent pas les draps, sont bien absorbées par l'épiderme et ne laissent pas la peau grasse, ni collante. Pour le confort de votre partenaire, réchauffez la lotion en plongeant le flacon dans de l'eau chaude. N'utilisez pas de lotions à base de lanoline, car elles ont tendance à encrasser la peau.

Les gommages

Les gommages du visage et du corps constituent d'excellents exfoliants – l'exfoliation est l'élimination des peaux mortes. Dans la mesure du possible, ils doivent être utilisés avant un soin de beauté. On les trouve dans le commerce, mais on peut aussi les préparer soi-même avec toutes sortes d'ingrédients plus ou moins abrasifs tels que de la farine de riz, des flocons d'avoine, des légumes secs et de la noix de coco. Ils limitent les effets du vieillissement et du dessèchement de la peau (cf. page 81).

Les masques du visage

Fuller's Earth est l'un des meilleurs démaquillants et une excellente base pour les masques du visage. La poudre brute dont on fait une pâte souple peut être mélangée à des eaux parfumées (rose, orange ou lavande, par exemple) ou servir de masque facial nourrissant si l'on y ajoute une lotion (cf. page 82).

Les astringents

Ils ont pour effet de resserrer les pores. L'eau de rose est un excellent astringent naturel. Il peut terminer un massage. Aspergez-en un linge fin que vous placez sur le front (cf. page 83).

Traitements sûrs et efficaces à domicile

Ne vous laissez pas impressionner par les règles qui suivent. Le massage de la tête et du cou ne présente absolument aucun danger pour la plupart des personnes de santé moyenne. Pour reprendre les propos de Florence Nightingale : « À elle seule, la Nature guérit. [...] Ce qu'il faut faire, c'est placer la personne dans les meilleures conditions pour que la Nature agisse ».

Évaluation du corps

En observant minutieusement tous les facteurs répertoriés ci-dessous, vos massages de la tête et du cou seront non seulement plus efficaces, mais aussi plus sûrs. En règle générale, relevez les problèmes vécus par votre patient ; ils vous aideront à définir le type de traitement le plus approprié. Les professionnels posent les mêmes questions avant d'utiliser sans risque n'importe quelle huile ou lotion d'aromathérapie à base d'ingrédients essentiels actifs. Si vous avez la moindre hésitation sur l'état de santé d'une personne, incitez-la à consulter un médecin avant d'entamer le traitement.

Votre partenaire souffre-t-il de l'un des problèmes suivants ?

Problèmes diététiques Diabète, surcharge pondérale ou maigreur excessive, anorexie, boulimie, ulcère, colite, constipation, flatulences, diarrhée, indigestion.
Tonus et texture musculaires Muscles tendus ou détendus, contractés, sensibles, mal entretenus.
Type de peau Peau très sèche, très grasse, sensible, lézardée, irritée, enflammée, marbrée.
Mauvaise circulation
Problèmes vertébraux Cambrure, scoliose, hernie discale ou spondylose.
Problèmes articulaires Articulations raides, enflammées, douloureuses, rigides, gonflées.

Traitement médicamenteux en cours

Tenez compte de tout traitement médicamenteux (allopathique ou homéopathique), et de tous les antécédents ou contre-indications – par exemple, l'épilepsie – qui pourraient être réveillés sous le simple effet de vos massages ou d'une relaxation totale.

Manifestations de stress

Préparez-vous à des réactions de stress de la part votre partenaire. Elles peuvent se manifester par des pleurs ou des rires, des quintes de toux, des soupirs, des gémissements ou des grognements, voire des gaz. Assurez-lui que tout cela est parfaitement normal et qu'il s'agit d'une réaction naturelle de guérison.

Temps

Prévoyez suffisamment de temps pour la séance, et laissez ensuite votre partenaire se reposer un moment afin de profiter des bienfaits de votre travail.

Réhydratation

Offrez un verre d'eau à la fin de la séance. Ce geste amical est aussi essentiel à la réhydratation de la peau et de l'organisme, et à l'élimination des toxines libérées par votre massage. Ajoutez-y éventuellement une fine rondelle de citron.

Lisez attentivement ce chapitre, et observez les règles jusqu'à ce que vos propres compétences, et votre connaissance du corps humain vous permettent de savoir quand et comment faire des exceptions à la règle.

Bien sûr, il existe plusieurs contre-indications au traitement. Certaines sont évidentes, d'autres le sont moins. C'est prendre une lourde responsabilité que d'agir sur le bien-être et les bioénergies de quelqu'un. Là encore, quelques questions précises vous fourniront des informations importantes qui vous permettront de décider si oui ou non vous procéderez à un massage de la tête et du cou. Voici les points clés.

Acupuncture

Ne massez jamais quelqu'un qui a suivi une séance d'acupuncture le jour même. Ses énergies sont déjà en train de modifier leur flux, et tout traitement risque d'interférer avec ce nouvel équilibre.

Alcool

Il est déconseillé de faire un massage à une personne ayant d'importantes quantités d'alcool dans le sang.

Problèmes de dos

Citons notamment des vertèbres abîmées, des lésions vertébrales et un syndrome cervical traumatique. En cas de problèmes autres que des courbatures, conseillez à votre partenaire de consulter un spécialiste (ostéopathe, chiropracteur ou physiothérapeute) avant de le masser.

Bain

Assurez-vous que votre partenaire prend une douche chaude et non un bain ou une douche bouillante avant la séance. Lorsque les muscles sont détendus, on augmente le risque de les étirer ou de les solliciter à l'excès.

Tension

Modulez votre toucher : plus léger en cas d'hypertension, plus ferme en cas d'hypotension.

Cancer

Dans ce cas, contentez-vous de massages faciaux doux ou d'enveloppements de la tête avec des huiles essentielles.

Conducteurs et utilisateurs de machines

Conseillez à votre partenaire de ne pas conduire, ni d'utiliser de machines lourdes s'il se sent somnolent après le massage.

Repas

Un massage de la tête et du cou peut se faire à tout moment, sauf juste après un repas. Attendez au moins une demi-heure après un repas léger et une heure après un repas très copieux.

État de la peau

Ne massez pas les plaies ouvertes, les coupures, les grosseurs, les entorses, les furoncles, les plaies infectées, les eczémas purulents, les psoriasis, les zonas et autres infections.

Et avant tout, soyez à l'écoute. N'entreprenez aucun massage sur quelqu'un dont vous ne connaissez pas l'état de santé et qui n'a pas l'autorisation de son médecin ou de son thérapeute. Méfiez-vous des pathologies suivantes : épilepsie, schizophrénie, syndrome de Down, dépression grave, migraines, méningite, diabète, thrombose, embolie, ou encore problèmes cardiaques, évanouissements ou vertiges. *« Traitez ceux que vous pouvez traiter, mais pas ceux que vous ne pouvez pas. »* Les rares fois où j'ai jugé raisonnable de refuser un massage, je n'en ai été que plus appréciée pour mon honnêteté et mon professionnalisme.

Purification énergétique

Créer un espace intérieur sacré

Tous ceux qui ont pratiqué le massage sous l'une ou l'autre de ses nombreuses formes savent qu'il représente plus qu'une simple thérapie physique. Là où il y a interaction entre des êtres humains, il y a flux et échange subtils d'énergies. Que vous le compreniez ou non, vous devez savoir que c'est une réalité pour beaucoup de personnes, dont peut-être celle que vous allez masser. Si vous estimez que le temps et les compétences que vous offrez aux autres leur apportent quelque chose, vous devez être sensible aux dommages potentiels tout autant qu'aux bienfaits de votre propre énergie. Je vous engage vivement à découvrir par vous-même la réalité qui se cache derrière ce qui est purement physique.

Par la « concentration », on mobilise son énergie sur un point, qui permet ensuite de la canaliser vers la tâche à effectuer – en l'occurrence votre prochain massage. C'est un état d'équilibre métaphysique. Ce point est appelé *Hara*, qui signifie ventre ou abdomen en japonais. Les Chinois parlent du *Tan t'ien* et la tradition yogi/tantrique de *Manipura chakra*. Situé quelques centimètres sous le nombril, il est le siège de la vie affective. C'est votre centre de gravité – le noyau de votre être physique.

Si vous situez et canalisez votre énergie personnelle par le *Hara*, votre traitement vous coûtera moins de force musculaire, et vous

pourrez travailler plus longtemps avec moins de perte d'énergie et peu de fatigue affective. Avant toute thérapie par le toucher, prenez quelques minutes pour vous concentrer. Asseyez-vous jambes croisées sur une chaise ou au sol (une couverture pliée sous le bassin si nécessaire). Veillez à ce que votre bassin soit légèrement plus haut que vos genoux. Tenez votre colonne vertébrale droite et reposez le dos de vos mains sur vos genoux en joignant le pouce et l'index et en laissant les autres doigts se dérouler naturellement. Fermez les yeux et fixez votre

La concentration est un préliminaire essentiel à toute démarche de guérison.

attention sur le troisième œil (*Ajna chakra*) et sur le cœur (*Anahata chakra*). Connectez le bas de votre colonne vertébrale à votre chaise ou au sol en laissant votre colonne « flotter » vers le haut. Observez le flux de votre respiration. Inspirez. Imaginez que vous emplissez votre *Hara* de la force et de l'énergie venue de la terre. Sentez le flux ascendant d'énergie dans le *Hara* et le long de vos bras jusque dans vos doigts. Poursuivez jusqu'à ce que vous vous sentiez prêt.

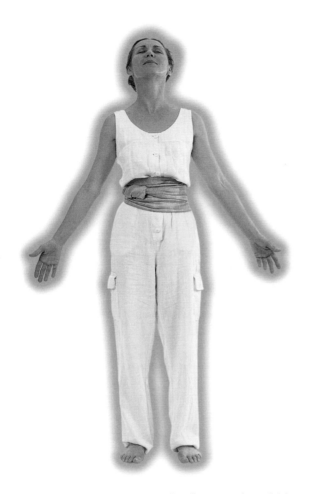

Ses eaux rafraîchissantes vous purifient de vos tâches quotidiennes, de vos petits soucis et de toutes les ondes négatives de votre esprit. L'eau s'écoule à vos pieds, puis dans la terre où elle se purifie et réintègre le cycle de la Mère Nature.

La cascade se pratique également après une séance de massage. Elle purifie alors votre psychique de toute impureté, onde négative et autres résidus tenaces de la séance. Il est vital que vous vous débarrassiez de l'état mental et des soucis de votre partenaire après la séance. L'eau s'en chargera.

Le sel est depuis longtemps réputé pour sa capacité d'absorption des énergies négatives. Certains thérapeutes placent un petit bol de cristaux de sel près de l'endroit où ils travaillent. Durant la séance, ils y « chassent » ou y déchargent les énergies négatives ou excessives. Une exposition prolongée à la lumière purifie ensuite le sel (je vous déconseille malgré tout de le consommer!).

Il est également important de se purifier après chaque séance de massage de la tête et du cou. Pour libérer son esprit d'une part d'un attachement temporaire au corps énergétique de votre partenaire et à ses soucis, d'autre part d'un attachement au résultat de votre travail. Passez vos mains et vos poignets sous l'eau fraîche après chaque séance. Si vous ne pouvez pas prendre une douche, faites-le en visualisant la cascade.

La cascade est l'une des techniques de purification psychiques les plus efficaces.

Voici le mantra que je garde à l'esprit pendant toute séance: *« Une lumière apaisante brille au centre de mon être »*.

L'« enfumage » est l'une des techniques de purification les plus connues chez les Amérindiens. Ils font sécher de la sauge, une plante très aromatique, puis l'assemblent en fagots. Avant d'utiliser une pièce comme lieu de guérison ou de culte, ils font brûler un peu de cette herbe pour « purifier » à la fois le physique et le psychique.

Ils utilisent une plume d'aigle pour diffuser la fumée tout autour de la pièce et du corps aussi bien du guérisseur que du malade.

La cascade

La cascade, et autres variantes, est une technique de purification psychique qu'il est préférable de pratiquer avant tout geste de guérison sur autrui. Elle peut s'exercer comme un rituel pendant une douche préalable, ou virtuellement s'il ne vous est pas possible de vous doucher. Imaginez que vous vous trouvez sous une cascade d'eau cristalline.

(2
Programmes
de base

La pression glissée

Les techniques de pression glissée réchauffent, apaisent et calment. Elles peuvent être pratiquées sur presque tous et à tout moment (cf. contre-indications page 29) sans lubrifiants. Lentes et rythmées, elles procurent un immense soulagement au patient, et laissent au masseur le temps de réfléchir et de se préparer entre chaque phase du traitement. Les sons produits ont, eux aussi, un effet calmant et apaisant.

Les techniques de base

L'effleurage

La technique de l'effleurage peut être utilisée sur la tête, les cheveux, le visage, le cou, les épaules et le dos. Elle se pratique généralement au début ou à la fin de chaque phase de travail ou de chaque séance. Elle réchauffe les muscles – prélude indispensable à des traitements plus vigoureux –, puis les détend. Une action plus ferme en direction du cœur stimule la circulation, et une action plus douce en sens inverse chasse les « impuretés » énergétiques.

Les mains superposées

La technique des mains superposées est une version tonique de l'effleurage. En général, elle convient mieux aux hommes musclés qui apprécient souvent une pression plus ferme. Placez la main mère sur la main active, et intercalez les doigts pour former une large plate-forme afin de traiter les zones étendues. Les mains dessinent des petits ou des grands huit.

La friction

Plus localisée que l'effleurage et les mains superposées, la friction permet de traiter des petites parties du corps. Pratiquée à un rythme rapide, elle a un puissant effet réchauffant. Fermez légèrement la main active, puis « frictionnez » les muscles des épaules, du dos et des bras, avec le plat de vos ongles, en petits mouvements circulaires. Ne dépassez pas le seuil de tolérance de votre partenaire.

La percussion

La percussion est utilisée dans le but de stimuler les zones sensibles, de tonifier la peau et d'améliorer la circulation ; elle est essentiellement réservée aux zones très musclées telles que le trapèze (muscle situé entre les omoplates) et les bras. Même si elle inclue généralement le pétrissage et le pincement, ces deux techniques ne conviennent pas au massage de la tête et du cou. J'en ai conservé trois autres que j'ai classées par ordre croissant de rapidité et de pression. Il est essentiel de garder les mains détendues et les poignets souples. Je recommande aux débutants de s'exercer sur leurs propres cuisses. C'est d'ailleurs un formidable remède contre la cellulite ! Secouez bien vos mains avant de commencer (pour éviter les crampes) et ne pratiquez pas ces techniques directement sur la colonne vertébrale.

Les mains en coupe

Cette technique consiste en une succession rapide de tapes ; les mains forment une coupe. Pratiquée directement sur la peau et non à travers les vêtements, elle produit un bruit de succion. Fermez légèrement les mains en gardant les doigts droits, et tapotez rapidement la zone à traiter. Travaillez méthodiquement en veillant au confort de votre partenaire. Une trentaine de secondes devraient suffire. Terminez par l'une des techniques de pression glissée.

Le claquement

Le claquement produit un son légèrement plus fort que les mains en coupe. Les doigts tendus en éventail agissent comme un ressort. Pressez légèrement les paumes de vos mains l'une contre l'autre en croisant les pouces et en étirant légèrement les doigts vers l'extérieur. Tapotez vers le bas avec l'arête des auriculaires en laissant les autres doigts se rapprocher. Après trois mouvements rapides, marquez une pause, puis recommencez la série. Ce geste peut même être pratiqué avec beaucoup de précaution sur la tête. Terminez par l'une des techniques de pression glissée.

La hachure

La plus vigoureuse des techniques de percussion convient particulièrement bien au torse robuste des hommes : certains l'appellent le « coup de karaté ». Pouces relâchés et doigts tendus, tapotez les zones très musclées du corps avec les arêtes de vos mains. Vos mains et vos épaules doivent rester détendues. Ce mouvement étant un peu violent, faites attention à respecter la tolérance de votre partenaire. Lorsqu'elle est correctement pratiquée, la hachure procure une sensation extrêmement agréable. Terminez par l'une des techniques de pression glissée.

Étirement et alignement

Les techniques d'étirement et d'alignement présentées ici ne doivent en aucun cas se substituer aux manipulations pratiquées par des professionnels tels que les ostéopathes, les chiropracteurs et les physiothérapeutes. Toutefois, un réglage minutieux de l'alignement du corps est essentiel ; il permet de corriger les positions inconfortables si souvent responsables de douleurs chroniques et musculaires ainsi que de toutes sortes de maux courants comme les migraines et la dépression. Si vous décelez un très mauvais alignement chez votre partenaire, recommandez-lui d'aller consulter un spécialiste. Ne pratiquez en aucun cas l'une ou l'autre des techniques d'alignement sur une personne ayant subi le coup du lapin ou souffrant d'un déplacement de vertèbre. Le mieux est que votre partenaire se tienne assis ou debout ; il peut même s'asseoir par terre. Dans ce cas, agenouillez-vous et soutenez son dos en relevant le genou et la cuisse. Exercées avec habileté et délicatesse, ces pratiques soulagent considérablement les tensions du cou et de la colonne.

La traction

Commencez par l'une des techniques de pression glissée pour détendre les muscles du cou et des épaules. Tenez-vous derrière votre partenaire, une demi-tête plus haut que lui. Prenez sa tête dans vos mains en soutenant la base du crâne avec vos paumes et en plaçant vos doigts sous la ligne de la mâchoire. Soutenez le poids de sa tête dans vos mains en la redressant légèrement pour mettre vos avant-bras entre les omoplates. Inclinez légèrement la tête en arrière en utilisant vos avant-bras à la fois comme support et comme levier. Maintenez pendant deux ou trois respirations, ramenez la tête à sa position initiale et recommencez lentement trois fois.

L'inclinaison

Tenez-vous debout ou assis d'un côté ou de l'autre de votre partenaire. Placez votre main active sous le menton, l'avant-bras opposé reposant délicatement sur le trapèze. Pour commencer, posez la main mère sur l'épaule. À mesure que vous inclinez lentement la tête en arrière, glissez l'avant-bras de la main mère sous la nuque pour accompagner le mouvement. Basculez délicatement la tête d'avant en arrière avec le soutien de la main active et de l'avant-bras. Assurez-vous que votre partenaire se tient toujours droit et ne cambre pas le bas du dos au moment de l'étirement. Recommencez ces mouvements de trois à six fois.

La rotation

Conservez la main mère et l'avant-bras en travers des épaules, puis tirez l'épaule la plus proche de vous en faisant pivoter la partie supérieure du corps dans votre direction. Demandez à votre partenaire de tourner la tête dans la même direction et de « suivre le mouvement ». Si sa colonne est raide, laissez simplement la tête bouger naturellement. Relâchez le mouvement de façon à ce que le corps revienne de lui-même de face. Recommencez trois fois. Changez de position et répétez trois fois le mouvement de l'autre côté.

Détente et réconfort

Voici quelques mouvements de détente et de réconfort que j'utilise à tout moment au cours d'une séance de massage. Légers et rythmés, ils s'apprennent facilement. Ils sont un délice pour le patient et un formidable exercice pour les mains du masseur. J'y ai inclus la technique du bercement, en partie pour rappeler la chaleur et le réconfort que procurent la proximité et le toucher, ce que beaucoup persistent à nier. Les massages peuvent parfois réveiller des tensions et des douleurs affectives enfouies. Dans de tels moments, n'ayez pas peur de réagir avec amour et compassion ; vous sentirez si l'instant est propice. La photo qui illustre la technique du bercement immortalise un précieux et délicieux interlude avec ma fille Emily.

Les cercles

Positionnez délicatement vos mains sur les épaules, de part et d'autre de la nuque. Placez vos pouces le plus bas possible sur les muscles de chaque côté de la colonne. Commencez par un cercle vers l'intérieur et le haut, puis utilisez toute la force de vos pouces pour dessiner des cercles sur les trapèzes si souvent noués entre les omoplates. Commencez par de grands cercles très près de l'omoplate – le pouce droit dans le sens des aiguilles d'une montre, le pouce gauche dans le sens inverse. Vous pouvez poursuivre vers le haut du dos et de part et d'autre du cou, en ajustant la position des mains afin que les gestes soient fluides.

Le pianotage

Imaginez que vous jouez du piano sur le trapèze et les autres zones musculaires souples. La pression que vous exercez dépend de votre force, du confort et du bien-être de votre partenaire, et de votre intuition. Cette technique, dont il est possible à tout moment de moduler la pression, peut être pratiquée sur le crâne et le long du cou. La pression s'exerce du bout des doigts, et uniquement si les ongles sont assez courts pour ne pas s'enfoncer dans la peau. Effleurez ensuite la peau en croisant les doigts.

Le bercement

Voici comment clore avec harmonie cette série, ou la ponctuer si votre partenaire a besoin d'un soutien affectif en cours de traitement. Enveloppez-le de votre corps et bercez-le doucement de gauche à droite ou en rond.

Les techniques de désintoxication

Le système lymphatique maintient l'équilibre des fluides dans les tissus et le sang, protège contre les maladies et élimine les déchets. La lymphe, liquide organique comparable au sang, circule à travers le corps dans un réseau de minuscules vaisseaux regroupés dans le cou, les aisselles, l'aine, les genoux et le milieu du torse. Les techniques de massage de désintoxication décrites ici agissent comme une pompe et stimulent la circulation des fluides lymphatiques, en les aidant à évacuer les déchets tels que l'acide lactique du système sanguin.

Comme pour les techniques d'étirement et d'alignement, n'exercez aucun de ces mouvements sur quelqu'un qui a subi le coup du lapin ou qui souffre d'un déplacement de vertèbre.

La compression

Posez votre main mère sur le front de votre partenaire et inclinez la tête légèrement en avant. Puis, exercez une pression ascendante lente et ferme de l'éminence thénar de votre main active sur la rangée de muscles d'un côté de la nuque à la base du crâne. Restez ainsi trois à quatre secondes. Recommencez le mouvement de l'autre côté et maintenez à nouveau.

Variante Pour un massage un peu plus vigoureux, nécessaire quand les muscles sont très raides, utilisez le bout des doigts plutôt que l'éminence de votre main active.

La pression des éminences

Demandez à votre partenaire de relâcher la tête et le haut du torse, et de basculer légèrement la tête vers l'avant. Croisez fermement les doigts et posez les mains sur la nuque. En un geste délicat mais continu, pressez les éminences de vos mains l'une contre l'autre, en exerçant une pression modérée sur les muscles de la nuque. Maintenez deux à trois secondes, et relâchez avec douceur la pression. Répétez la séquence deux ou trois fois.

Variante Cette technique peut également servir à appliquer une forte pression sur les trapèzes et les bras. Terminez en effleurant la peau.

Le pincement et le décollement

Pincez et soulevez délicatement le sommet des trapèzes en commençant par l'extrémité la plus proche de l'articulation de l'épaule et en utilisant la force des pouces, des index et des majeurs. Pincez, soulevez et maintenez deux ou trois secondes. Relâchez, rapprochez votre main active du cou et recommencez jusqu'à ce que vous ayez traité tout le muscle. Pour terminer, effleurez toute la zone d'un geste réconfortant.

Les techniques de stimulation

Les illustrations de cette page montrent l'efficacité de ces techniques sur les cheveux longs. Bien sûr, beaucoup de personnes ont des cheveux courts ou n'en ont plus du tout, mais cela n'est pas un obstacle. L'objectif est de stimuler le cuir chevelu en travaillant directement dessus. Rarement sollicité, sauf lorsqu'on le frictionne vigoureusement en se lavant les cheveux, il souffre souvent d'une mauvaise circulation du sang, et accumule les peaux sèches et squameuses (pellicules). La fatigue et une apathie mentale se répercutent souvent sur le cuir chevelu. Tirer les cheveux près de la racine soulage instantanément, même si cela semble être la dernière chose à faire quand on souffre d'un mal de tête dû au stress. Sinon, une rotation vigoureuse du bout des doigts pour décoller le cuir chevelu peut aboutir au même résultat.

Le décollement

Demandez à votre partenaire de s'allonger à plat ventre sur un lit, une table ou une chaise de massage. Peignez ses cheveux en frictionnant le cuir chevelu du bout des doigts. Ce geste peut s'avérer tout aussi bénéfique sur des cheveux courts. Peignez les cheveux jusqu'à la pointe en les laissant glisser entre vos doigts. Recommencez pour renforcer le sentiment de légèreté.

La traction des cheveux

Torsadez les cheveux et faites un nœud, puis tirez délicatement près de la racine avec votre main active. Recommencez deux ou trois fois.

La caresse

Caressez les cheveux (ou la tête) en commençant au bas de la nuque, voire plus bas entre les omoplates. Recommencez une dizaine de fois, puis tournez la tête et répétez de l'autre côté.

Variante *Brossez le cuir chevelu et les cheveux avec une brosse en poils naturels en tirant les cheveux vers le haut, loin de la nuque.*

Variante *Tirez les cheveux près de la racine par petites mèches que vous tournez pour solliciter les muscles du cuir chevelu. Ce geste soulage les maux de tête.*

Programme de base hi-ki

Pour illustrer ce programme, j'ai choisi d'allonger le sujet, car c'est sans doute la position la plus appropriée pour ce type de massage. Vous pouvez également vous tenir debout et votre partenaire assis sur un tabouret ou une chaise, sa tête à hauteur de votre taille, ou le faire asseoir sur un coussin devant vous et l'envelopper de votre corps. Si vous optez pour la position allongée, placez une serviette roulée sous sa nuque pendant la première moitié de la séance.
Ce programme réunit tous les gestes fondamentaux qui vous serviront pour la plupart des massages de la tête et du cou. Travaillez sur un visage propre et démaquillé. Avant d'effectuer les mouvements qui suivent, appliquez sur le bout de vos doigts quelques gouttes d'huile de base.

△ 1) Tenir la tête

Posez délicatement vos mains des deux côtés de la tête, la pointe de vos doigts contre le sommet de ses oreilles. Restez ainsi une minute, le temps de vous concentrer et de laisser votre partenaire s'habituer à votre contact.

Attention : assurez-vous que votre partenaire ne porte pas de lentilles de contact pendant la séance.

◁ 2) Effleurer le front

Divisez mentalement le front en bandes horizontales d'environ
1 cm de large. Posez les arêtes extérieures de vos pouces au
centre du front (juste au-dessous de la naissance des cheveux),
et faites-les glisser jusqu'aux tempes en terminant par un cercle
d'environ 1 cm de diamètre.

Revenez au milieu et recommencez sur la bande suivante. Effleurez
ainsi tout le front, en terminant à chaque fois par un cercle.

3) Masser les tempes ▷

Toujours avec l'arête extérieure de vos pouces, massez les
tempes (les petites dépressions à côté des yeux) dans le sens
des aiguilles d'une montre. Recommencez ce mouvement six
fois en conservant un toucher très léger. Marquez quelques
secondes de pause avant de passer à l'étape suivante.

Bienfaits

*Ce mouvement permet de soulager les maux de tête et
la détresse mentale. Il procure une sensation de calme
et de sérénité intérieure.*

◁ 4) Pincer l'arête nasale

Exercez une légère pression des index sur l'arête du nez et
maintenez quelques secondes.

Remontez les index le long des contours osseux des orbites à
la rencontre entre le nez et les yeux. Gardez une pression un peu
plus ferme pendant quelques secondes.

Relevez les doigts et déplacez-les de 1 cm sur la partie supérieure
de chaque arête. Pressez, tenez et relâchez.

Poursuivez ces mouvements de pression en avançant à chaque fois
de 1 cm sur les orbites jusqu'au point le plus éloigné du nez.
Revenez au point de départ et répétez cette séquence le long
du contour de l'orbite sous le globe oculaire.

Pour finir, exercez une légère pression de l'index sur l'arête du
nez, maintenez et relâchez.

Programme de base hi-ki

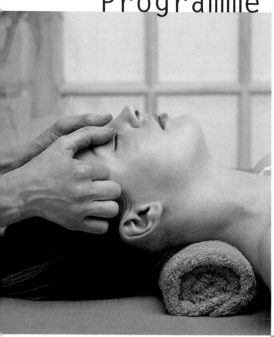

◁ 5) Effleurer les paupières

Placez vos index de part et d'autre du nez, au coin des yeux, et faites-en glisser très lentement et très doucement la pulpe le long des paupières fermées en exerçant le minimum de pression (comme si vous essayiez d'effacer les rides de la peau). Recommencez trois fois.

Pour terminer, exercez une légère pression à l'extérieur des paupières, maintenez et relâchez avant de passer à la phase suivante.

Bienfaits

Soulage les yeux fatigués.

6) Comprimer les pommettes ▷

Placez la pointe des index de part et d'autre du nez, dans le coin des orbites, juste en dessous du point de départ de la phase précédente.

Appuyez fermement, faites glisser le bout des doigts autour des bords inférieurs des pommettes, puis remontez vers les oreilles. Faites une fois le tour des tempes avec la pointe des doigts. Répétez ce geste en terminant par un cercle.

Pour finir, comprimez doucement les tempes avec l'index, maintenez et retirez vos mains avant de passer à la phase suivante.

Variante *Recommencez ce mouvement des bords du nez aux tempes en dessinant de minuscules cercles.*

Bienfaits

Soulage les tensions faciales.

◁ 7) Effleurer les lèvres

Pour cette phase, vous devez vous imaginer que la moitié inférieure du visage est divisée en trois bandes horizontales : au-dessus des lèvres, les lèvres proprement dites, et sous la lèvre inférieure.

Entourez la mâchoire de vos mains en plaçant vos pouces au-dessus de la lèvre supérieure.

Glissez vers l'extérieur et légèrement vers le haut des joues et vers les tempes, en terminant par un petit cercle. Recommencez trois fois.

Répétez cette séquence sur les lèvres, puis sous la lèvre inférieure, en terminant à chaque fois par un cercle sur les tempes.

Pour terminer, exercez une légère pression de l'index sur les tempes, maintenez, puis relâchez avant de passer à la phase suivante.

8) Effleurer le menton et la mâchoire ▷

Entourez la mâchoire de vos mains et pincez fermement la chair du menton entre le pouce et l'index.

Suivez fermement la ligne de la mâchoire en terminant par six petits mouvements circulaires sur la « charnière » située juste en dessous du lobe de l'oreille. Utilisez ces mouvements circulaires répétés de l'index pour localiser et masser fermement cette zone. Les pouces, qui reposent légèrement sur les tempes, vous servent de point d'ancrage.

Pour terminer, comprimez doucement les charnières de la mâchoire avec l'éminence des mains.

Bienfaits
Prévient et soulage les névralgies, les otites et les maux de tête.

9) Pression derrière l'oreille ▷

Opérez sur une oreille à la fois en inclinant légèrement la tête d'un côté. Avec la pointe des doigts, effleurez délicatement les plis derrière l'oreille, du lobe au sommet de l'oreille. Recommencez trois fois.
Remettez la tête droite, puis inclinez-la de l'autre côté et répétez ces gestes sur l'autre oreille.

Bienfaits

Peut soulager les otites.

◁ 10) Pression au-dessus de l'oreille

Opérez sur une oreille à la fois en inclinant légèrement la tête d'un côté. Faites glisser délicatement votre index d'avant en arrière plusieurs fois de suite dans le « V » formé par la partie supérieure de l'oreille et la tête.
Remettez la tête droite, puis penchez-la de l'autre côté, et répétez ces gestes sur l'autre oreille.

Bienfaits

Peut soulager les otites.

11) Pincer le bord extérieur de l'oreille ▷

Serrez légèrement le bord extérieur de l'oreille entre le pouce et l'index. Démarrez au sommet, puis descendez vers le lobe. Serrez le lobe, tirez-le vers le bas et maintenez deux ou trois secondes. Recommencez deux ou trois fois.

Pour terminer, frottez les paumes de vos mains l'une contre l'autre jusqu'à ce qu'elles soient bien chaudes, puis posez-les délicatement en coupe sur les oreilles de votre partenaire. Restez ainsi pendant quelques respirations, le temps que la chaleur pénètre.

◁ 12) Effleurer le visage

Croisez délicatement les pouces au sommet du nez et reposez vos mains sur le visage en couvrant les yeux.

Restez ainsi pendant quelques respirations, puis remontez lentement les mains en appuyant légèrement sur le nez, puis sur le front, avec les pouces. Imaginez que vous effacez toutes les rides de souci, de stress et d'effort.

Redescendez sur les tempes en dessinant doucement des cercles dans le sens inverse des aiguilles d'une montre.

Pour terminer, exercez une légère pression du bord extérieur de votre pouce sur les tempes, maintenez et relâchez.

Programme de base hi-ki

△13) Masser les tempes et les joues

Posez les paumes sur les tempes pendant cinq à dix secondes. Par une pression assez ferme de l'éminence de vos mains, massez les tempes dans le sens des aiguilles d'une montre six fois de suite. Tout en continuant vos mouvements circulaires, descendez jusqu'aux joues en passant par les pommettes, puis massez six fois en cercle pour stimuler l'ensemble du visage.

△14) Comprimer le crâne

Placez délicatement les mains sur les oreilles, puis glissez-les derrière les oreilles en vous reposant sur la surface de massage. Exercez et maintenez une pression pendant cinq à dix secondes, puis relâchez lentement. Répétez cette séquence à trois reprises.

Bienfaits

Peut contribuer à soulager les maux de tête.

△15) Pianoter

Retirez la serviette roulée sous le cou. Soutenez la tête de votre partenaire avec votre main mère. En utilisant les doigts de votre main active, pianotez sur la nuque et l'arrière des épaules pour briser toutes les tensions.
Massez uniquement du côté de votre main active. Pour l'autre côté, échangez la position des mains.
Consacrez environ trente secondes à chaque côté, puis revenez sur les zones les plus tendues.

△ 16) Détendre le cou et les épaules

Tournez la tête de votre partenaire d'un côté en la soutenant de votre main active.
Plaquez l'épaule opposée contre la surface de massage avec votre main mère et maintenez-la deux ou trois
secondes. Relâchez et recommencez trois fois. Tournez la tête de votre partenaire de l'autre côté en la soutenant de
votre main mère. Plaquez l'épaule opposée contre la surface de massage avec votre main active et maintenez-la
deux ou trois secondes. Relâchez et recommencez trois fois.

Variante *Après le mouvement de plaquage, massez l'épaule et le bras en glissant la main sous
l'épaule et le long du trapèze. Puis, remontez vers la nuque en un long et ample mouvement
circulaire.*

Bienfaits
Soulage considérablement la tension dans le cou et les épaules, en particulier après un long trajet en voiture.

Programme de base hi-ki

△ 17) Comprimer la poitrine

Placez vos mains sur les épaules, les éminences contre le trapèze et les doigts posés sur le haut de la poitrine en formant un triangle.

Exercez une pression ferme et maintenez cinq à dix secondes. Relâchez et recommencez trois fois.

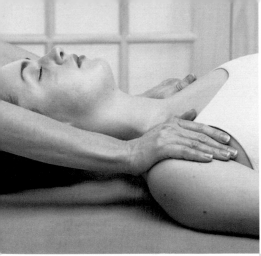

◁ 18) Comprimer les épaules

Faites glisser vos mains sur la poitrine avant de les poser sur les épaules et les bras. Exercez une pression ferme contre la surface de massage pour ouvrir le buste.
Relâchez légèrement et recommencez trois fois.

19) Pousser les épaules ▷

Posez vos mains au sommet des épaules et poussez en direction des pieds en exerçant une pression ferme et continue. Maintenez cinq à dix secondes.
Relâchez légèrement et recommencez trois fois.

Bienfaits

Les étapes 17, 18 et 19 réunies sont un excellent remède contre les épaules voûtées et une mauvaise position du dos.

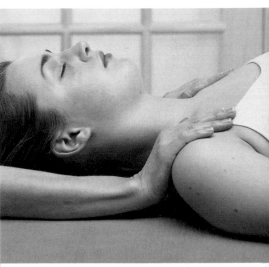

◁ 20) Étirer le cou

Glissez vos mains sous la nuque en croisant les doigts. Détendez et tirez lentement et délicatement la nuque vers vous en utilisant la force des mains jointes, afin d'exercer une pression délicate mais régulière à la base du crâne.
Relâchez légèrement et recommencez trois fois le mouvement de traction.

Programme de base hi-ki

◁ 21) Soulever la tête

En partant de la position précédente, glissez les mains sous la tête, et prenez l'arrière du crâne dans les paumes, la pointe des doigts sur les muscles à la base du crâne.

Soulevez et inclinez avec lenteur et délicatesse le menton vers la poitrine. Ne forcez pas le mouvement. Vous sentirez rapidement les limites des capacités d'étirement de votre partenaire.

Baissez lentement et délicatement la tête, et recommencez trois fois.

Pour terminer, tenez doucement la tête au repos dans la paume de vos mains, et faites-la basculer légèrement de droite à gauche deux ou trois fois.

Attention : la tête d'un adulte peut peser jusqu'à 7 kg. Assurez-vous que votre position est stable et que votre partenaire se sent totalement en confiance.

22) Effleurer la nuque ▷

Dans la continuité de la phase précédente, placez la main mère sur le haut du front (pour assurer soutien et stabilité), et la main active sous la nuque, derrière le crâne.

Tirez la main active dans votre direction pour étirer le cou en insistant doucement, puis glissez-la sous le crâne jusqu'à ce que vous puissiez empoigner les cheveux au sommet de la tête.

Ce mouvement se pratique également sur des cheveux courts.

Faites-le une seule fois très lentement.

△ 23) Rassembler et tirer les cheveux

Remontez les cheveux au sommet de la tête.
Torsadez-les et faites un nœud près de la racine. Tirez délicatement pour chasser les tensions dans la tête. Dénouez et effleurez délicatement les cheveux vers l'arrière.
Si les cheveux sont courts, ou si votre partenaire est chauve, appuyez fermement le majeur sur son cuir chevelu, puis faites un mouvement de rotation.
Pour terminer, suivez du bout des doigts les lignes d'implantation des cheveux.

△ 24) Décoller les cheveux

« Peignez » délicatement le cuir chevelu en soulevant les cheveux et en les faisant glisser entre vos doigts. Ces mouvements sont tout aussi relaxants et bénéfiques pour quelqu'un qui a les cheveux courts.
Recommencez plusieurs fois afin de procurer une sensation d'espace et de légèreté.

Bienfaits
Depuis des temps immémoriaux, on dit que la manipulation des cheveux soulage les maux de tête légers.

Variante Si les cheveux sont assez longs, vous pouvez faire et défaire une tresse. Peignez délicatement les cheveux avec la pointe des doigts en les décollant du cuir chevelu.

△ 25) Tourner la tête

Posez délicatement vos mains en coupe sur les oreilles de votre partenaire et tournez la tête d'un côté jusqu'à ce que votre main repose sur la surface de massage. Restez ainsi pendant cinq à dix secondes.
Remettez la tête droite, marquez une pause, puis tournez la tête dans l'autre sens. Maintenez de nouveau avant de revenir au centre.

△ 26) Masser la nuque

Posez la main mère sur une épaule et tenez la nuque jusqu'à la base du crâne dans la paume de votre main active.
Inclinez délicatement la tête vers votre main mère jusqu'à ce que votre partenaire trouve cette position inconfortable. Puis massez la nuque avec toute la main deux ou trois fois dans le sens des aiguilles d'une montre en remontant vers vous.
Remettez la tête droite, changez la position de vos mains, puis inclinez la tête dans l'autre sens. Là encore, massez la nuque avec des mouvements circulaires avant de ramener la tête au centre.

△ 27) Enduire le troisième œil

Trempez le bout de votre index dans une préparation à l'eau de rose ou à l'huile essentielle de lavande et réchauffez-la sur votre doigt.
Faites pénétrer délicatement l'huile dans le troisième œil (le point de massage de l'hypophyse), légèrement au-dessus du point situé entre les sourcils, en dessinant des petits ronds dans le sens des aiguilles d'une montre pour estomper les rides du front.

△ 28) Terminer le massage

Pour terminer, appuyez délicatement votre index sur le troisième œil. Maintenez, puis relâchez.

Variante *Couvrez les yeux et le front d'un linge froid ou chaud imprégné d'huile ou d'eau parfumée.*

Relaxation
totale

(3

Relaxation totale

« L'esprit qui émeut les sens tout en conservant leur harmonie trouve le repos dans le silence. »
Bhagavad-gîta

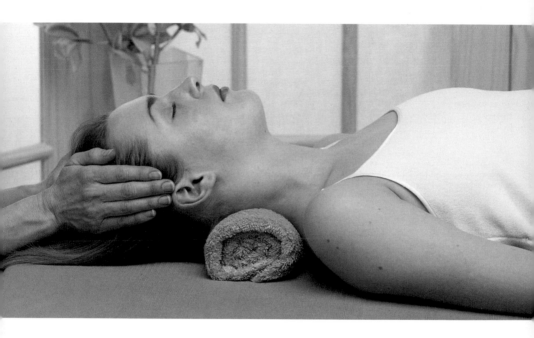

Notre état d'esprit et nos expériences personnelles se lisent sur notre visage et dans notre regard. Le meilleur moyen de retarder le vieillissement est de trouver la paix intérieure, car elle rend les vicissitudes de la vie plus supportables.

En entreprenant un voyage personnel à travers les strates de votre esprit, vous explorerez un vaste monde intérieur. Savoir exploiter avec humanité les forces puissantes dans un corps détendu procure un état de totale relaxation. Sans le vouloir, les méthodes qui suivent vous aideront à vous mettre à l'écoute des forces de gravité qui permettent à Mère Nature de faire de son mieux pour absorber toute douleur physique, mentale ou affective.

détachement physique

1) Colonne vertébrale Asseyez-vous par terre ou sur une grande table. Roulez vers l'arrière sur un coude en détendant l'une après l'autre toutes les vertèbres jusqu'à ce que la colonne repose entièrement à plat. Étirez et détendez la région lombaire (le bas du dos) en sentant la force de la gravité.

2) Poitrine et poumons Ouvrez et déployez la poitrine et les poumons, et surtout la région du sternum.

3) Tête et cou Soutenez la tête et le cou à l'aide d'une serviette pliée et roulée (si votre menton n'est pas à angle droit avec votre poitrine lorsque vous êtes allongé).

4) Gorge Avalez pour détendre votre gorge en sentant l'air frais se répandre loin derrière.

5) Lèvres Humidifiez et détendez vos lèvres en les entrebâillant légèrement. Laissez votre langue se décoller de votre palais et vos mâchoires s'entrouvrir.

6) Jambes Posez vos jambes sur un grand coussin rond ou une couverture roulée pour détendre le bas du dos.

7) Tout le corps Abandonnez-vous aux puissantes forces apaisantes de la Nature.

détachement mental

Vous venez de commencer votre voyage par les neuf premières étapes de la relaxation corporelle. Poursuivons par les ajustements mentaux – pour passer d'un état de tension à un état de relaxation profonde. Tout doucement, votre corps détendu encouragera votre esprit à apprécier ses véritables pouvoirs. Soyez patient : la relaxation de l'esprit est l'effort de toute une vie, et comme la paix de l'esprit est intemporelle et éternelle, rien ne sert de vouloir mesurer vos progrès dans le temps. Un esprit vraiment détendu ne recule ni devant la vie, ni devant la mort. Si vous vous sentez l'esprit calme et sincère, vous pourrez voyager vers le connu et l'inconnu sans aucune anxiété, et vivre dans l'insécurité en toute sécurité.

Dites-vous à vous-même :

1) « Je détache mon esprit de ma famille... je pense à eux avec amour, puis je me détache, je me détends et je me laisse aller... Je détache mon esprit des amis qui prennent une place prépondérante dans ma vie... je pense à eux avec amour... je me détache... je me détends... je me laisse aller... Je détache mon esprit de mon travail et de mes corvées, je pense à eux... je me détache... je me détends et je les laisse aller. »

2) « Je n'entends aucun son particulier, car tous les bruits se mêlent merveilleusement... je n'éprouve aucun sentiment particulier... aucune pensée particulière, car toutes les pensées se mêlent. Le temps lui-même s'arrête, une fraction de seconde de paix et de calme parfaits. »

Lorsque vous aurez atteint ce sentiment de sérénité, vous vous sentirez comme après plusieurs heures de sommeil. Votre patience sera récompensée par une sensation de calme et de paix intérieure qui sera précieuse pour toute thérapie que vous entreprendrez.

Les tensions dans les yeux

Devoir sans cesse respecter des délais constitue une pression qui s'accumule et qui, parfois, refuse tout simplement de disparaître. D'où des maux de tête, une fatigue des yeux et des difficultés de concentration qui, si rien n'est fait, peuvent nuire considérablement à la productivité. Consacrer quelques minutes de temps à autre à ces techniques d'autogestion des tensions permet de prévenir et de soulager le stress.

△ 1) Pincer les orbites

Croisez les doigts et pressez les pouces dans le coin des yeux, juste sous les sourcils. Maintenez deux à trois secondes, relâchez légèrement, puis recommencez six fois.

Variante Prenez appui sur vos coudes pour renforcer la pression de votre geste. Évitez tout contact avec le globe oculaire.

△ 2) Pincer l'arête nasale

Pincez la chair au sommet de l'arête nasale (entre le sourcil et l'orbite) entre le pouce et l'index. Maintenez pendant deux ou trois respirations, relâchez légèrement et recommencez six fois.

Variante Allongez-vous sur le sol pour que la gravité compense l'inconfort du geste.

△ 3) Les mains en coupe

Frottez les paumes de vos mains l'une contre l'autre pour les réchauffer, puis posez-les délicatement en coupe sur vos yeux. Maintenez-les ainsi pendant quelques respirations, le temps de sentir le flux énergétique chaud et apaisant. Répétez ce geste à chaque fois que vous avez besoin d'un coup de fouet.

Bienfaits

Contribue à soulager les maux de tête et les problèmes de sinus.

Bienfaits

Éclaircit les yeux, dégage la vue et soulage la fatigue.

Bienfaits

Tonifie les yeux et permet une meilleure concentration.

Les tensions dans la nuque

△ 1) Le massage occipital

Prenez l'arrière de votre tête dans vos mains, et massez la région charnue et souple à la base du crâne en dessinant de petits cercles avec vos pouces. Massez méthodiquement cette région en veillant à votre propre confort. Détendez-vous et recommencez deux fois après une courte pause.

△ 2) Le massage à travers le cuir chevelu

Faites glisser vos doigts de la naissance des cheveux sur la nuque au sommet du crâne. Saisissez vos cheveux à la racine et tirez délicatement d'un côté puis de l'autre. Si vous avez peu voire pas de cheveux, massez le cuir chevelu en le comprimant fermement entre vos doigts.

Glissez vos doigts dans vos cheveux en allant des tempes vers les côtés de votre tête. Rassemblez vos cheveux et tirez délicatement d'un côté puis de l'autre.

Recommencez ces deux gestes deux ou trois fois. Terminez en massant à travers les cheveux.

Bienfaits

Une application répétée dissipe toute tension dans la nuque.

Les maux de tête

La tête est une sorte de cocotte minute : le stress s'y accumule, comme la pression. Certaines habitudes – s'énerver, mais aussi grincer des dents, loucher ou même trop parler – exacerbent ce processus naturel et provoquent des maux de tête. La séquence suivante peut contribuer à les soulager.

△ 1) Comprimer le front

Placez la pointe des doigts sur votre front en exerçant une légère pression. Glissez en direction des tempes. Recommencez trois fois.

△ 2) Masser les tempes

Les épaules et les coudes détendus, placez les majeurs dans le creux des tempes. Effectuez six petits mouvements circulaires délicats.

△ 3) Détendre les mâchoires

Toujours avec les majeurs, descendez le long de votre visage jusqu'à la charnière de la mâchoire, juste sous le lobe des oreilles. Massez en cercles. Si vous êtes particulièrement tendu, poursuivez jusqu'à ce que vous sentiez la mâchoire « tomber », puis relâchez. Recommencez six fois.

Bienfaits

Efface les rides et soulage la détresse affective.

Bienfaits

Prévient et soulage les maux de tête.

Bienfaits

Prévient et soulage l'accumulation de tensions à l'origine des névralgies et des maux de tête.

△ 4) Comprimer les tempes

Posez la paume de vos mains dans le creux des tempes. Comprimez délicatement avec l'éminence hypo-thénar et effectuez lentement six larges cercles.

Variante *Poursuivez ce mouvement circulaire jusque dans le creux des joues en passant sur les pommettes, et massez le visage.*

Bienfaits

Soulage et prévient les maux de tête et la tension faciale.

La relaxation à l'école

Nous ne pensons pas toujours que nos enfants ont besoin – voire possèdent la faculté – de se détendre. Pourtant, comme nous tous, ils souffrent des emplois du temps surchargés, du travail à la maison et du bruit. Cette série d'exercices les amusera beaucoup tout en leur apprenant à se détendre. Ils doivent pour cela être deux. Les trois premiers exercices sont dynamisants et revigorants.

△ 1) Réveil

Tapotez délicatement la tête du bout des doigts dix à quinze fois. Veillez à ce que vos poignets et vos mains soient parfaitement détendus.

△ 2) Balles

Prenez deux petites balles rondes et faites-les rouler sur les muscles des épaules et du dos de votre partenaire en exerçant une pression ferme avec la paume des mains.

Variante Vous pouvez utiliser des balles de tennis ou des petites balles en caoutchouc.

△ 3) Baguettes

Ces baguettes en métal souple prolongées de balles en caoutchouc servent à assouplir les muscles tendus du dos. On les trouve dans certains magasins. Martelez en alternance pendant une minute.

Variante Si vous n'en trouvez pas, utilisez deux balles en caoutchouc que vous tenez à la main.

Bienfaits

Stimule et aide à se sentir bien éveillé.

Attention : ne passez pas sur la colonne vertébrale.

Bienfaits

Dissipe les tensions profondes dans le dos et les épaules.

Asthme, bronchite et épaules voûtées

Le nombre d'enfants souffrant d'asthme et de bronchite continue d'augmenter, alors qu'il est déjà trop élevé. Tout le monde sait que ce problème est dû à la pollution, au tabac et à certains facteurs génétiques. Ce que l'on sait moins, c'est qu'une mauvaise position et une conception inadaptée des bureaux l'aggravent. Travailler sur une surface horizontale amène la poitrine à se creuser et le corps à s'affaisser sur les hanches. Voici quelques techniques d'étirement naturel et d'alignement du corps. Elles sont plus vigoureuses mais sans danger.

△ 4) Étirer la poitrine

Faites asseoir votre partenaire sur un tabouret bas, les mains croisées derrière la tête. Tenez-vous derrière lui pour le soutenir et prenez ses coudes dans vos mains. Inspirez en tirant les coudes et en faisant levier avec votre corps afin de renforcer l'étirement. Expirez, relâchez légèrement et recommencez six fois.

△ 5) Étirer le corps

Passez les mains nouées de votre partenaire derrière votre nuque et plaquez vos mains autour de la partie inférieure de sa cage thoracique. Inspirez en vous penchant en arrière pour étirer et déployer le buste. Expirez, relâchez légèrement et recommencez six fois.

△ 6) Abaisser les épaules

Appuyez vos avant-bras sur les épaules de votre partenaire. Tenez une dizaine de secondes, relâchez légèrement et recommencez six fois.

Bienfaits

Prévient les risques d'épaules voûtées.

Bienfaits

Empêche l'accumulation de tensions dans les aisselles et la poitrine, et tonifie tout le corps.

Bienfaits

Contribue à abaisser les épaules et à dissiper les tensions dans le cou et les épaules. C'est l'un des meilleurs remèdes contre la mauvaise position prise par les enfants à force de porter toujours leur cartable sur la même épaule.

Articulations et muscles raides et négligés

S'il est mal entretenu, le corps perd rapidement la souplesse de sa jeunesse. Grimper aux arbres ou dévaler une colline constituent des activités qui, pour beaucoup, ne sont plus qu'un rêve. Les exercices suivants tonifient le corps de la tête aux pieds. Ils vous aideront rapidement à retrouver – ou à conserver – une sensation de souplesse. Dans un esprit d'équité, encouragez votre partenaire à inverser les rôles à la fin de cette série d'exercices et à profiter lui aussi de ses bienfaits.

◁ 7) Comprimer le corps

Demandez à votre partenaire de s'allonger par terre sur le dos, et agenouillez-vous contre ses hanches en lui tournant le dos. Dites-lui de poser ses pieds sur votre cage thoracique, puis de remonter et de redescendre plusieurs fois le long des muscles situés de part et d'autre de votre colonne vertébrale. Poussez sur ses pieds en écartant ses genoux et maintenez pendant deux ou trois respirations. Relâchez légèrement et recommencez trois fois.

Bienfaits

Masse votre dos et assouplit les articulations des hanches, des genoux et des chevilles de votre partenaire.

8) La chandelle ▷

En partant de la position initiale de l'exercice précédent, demandez à votre partenaire de plier et d'écarter légèrement les genoux, et de poser ses pieds sur vos hanches. Vos mains en appui sur vos cuisses, invitez-le à marcher le long des muscles situés de part et d'autre de votre colonne vertébrale, et à poser ses pieds à cheval sur vos épaules. Il doit pour cela soutenir le bas du dos ou la ceinture pelvienne avec ses bras (le haut du bras et le coude formant une équerre pour répartir uniformément le poids du corps). Afin d'éviter toute pression sur sa gorge, il faut que ses coudes soient dans l'axe des épaules – et le menton à angle droit avec la poitrine.

Bienfaits

Recharge le métabolisme.

Attention : cet exercice ne convient pas aux personnes souffrant d'hypertension.

△ 9) Repos et détente

Asseyez-vous dos-à-dos en tailleur. Glissez au besoin des serviettes pliées sous vos fesses pour que vos genoux soient moins hauts que vos hanches. Fermez les yeux, écoutez et synchronisez votre respiration. Reposez-vous dans cette position, profitez chacun de la chaleur et du soutien de l'autre.

Se détendre à la maison

Combien de fois, en rentrant du travail, nous retrouvons-nous face à toutes sortes de
tâches ménagères! Chercher le moyen de nous détendre est alors le cadet de nos soucis.
Le petit programme qui suit peut se glisser dans l'agenda le plus chargé. Il nécessite
un seul accessoire : une simple serviette de toilette.

△ 1) Étirer la nuque

Entourez-vous la nuque d'une serviette
chaude roulée. Tirez la tête en arrière et
tenez pendant deux ou trois respirations.

△ 2) Étirer le cou et les épaules

Tirez les deux extrémités de la serviette
vers le bas en entourant vos épaules.
Appuyez vos poings dans le bas du dos en
tendant les coudes vers l'arrière pour
intensifier la pression et ouvrir la poitrine.
Recommencez six fois les exercices 1 et 2.

Bienfaits

*Assouplit et desserre les nœuds dans le
cou et les épaules.*

△ 3) Comprimer le corps

Assis sur le sol, laissez pendre la serviette
roulée le long de votre colonne. Glissez
une extrémité sous vos fesses et tenez
l'autre au-dessus de votre tête. Penchez-
vous lentement sur vos genoux, lâchez la
serviette tout en la conservant dans l'axe
de votre colonne, et placez vos mains sur
vos hanches. Reposez-vous et détendez-
vous en laissant les muscles de chaque
côté de la serviette se détendre et céder
aux lois de la gravité. Restez dans cette
position pendant quelques minutes.
Toutes vos douleurs et fatigues physiques
disparaîtront en l'espace de quelques
minutes.

△ 4) Relâcher la pression

Placez deux balles de tennis ou deux balles en caoutchouc dans une chaussette dont vous nouez l'extrémité. Pressez les balles contre les muscles serrés de part et d'autre de la colonne, et tenez pendant deux ou trois respirations.

Variante *Utilisez cette technique pour soulager la fatigue des longs voyages en comprimant les muscles du dos. Vous pouvez également vous allonger sur le sol, les genoux pliés, et glisser les balles sous le dos le long des muscles de part et d'autre de la colonne.*

Raideurs et lésions

Malheureusement, nombreux sont ceux qui souffrent tellement d'une mauvaise position, de douleurs, de raideurs et de lésions chroniques que, même allongées sur le sol ou sur un lit, ils ne sont ni soulagés ni véritablement détendus. L'une des meilleures solutions – voire la solution idéale pour les masseurs professionnels – est la chaise de massage pliante. D'une part, vous pouvez faire le tour complet de votre partenaire ; d'autre part, ce dernier, amené à céder aux lois de la gravité, se détend instantanément. Toutes les parties du corps sont soutenues dans une position naturelle.

Si votre partenaire souffre d'une lésion pour laquelle le traitement n'est pas recommandé, vous n'êtes pas entièrement démuni : vous pouvez le soulager sans aucun risque à l'aide de compresses. Elles apportent une action efficace sur les douleurs et les inflammations. Généralement, les compresses chaudes sont utilisées en cas de douleurs chroniques (mal de dos et de cou) et les compresses froides en cas maux de tête, par exemple et en premier recours en cas d'entorses, tennis-elbow, notamment.

En cas de spasme musculaire, sélectionnez l'une des huiles suivantes. Elles sont réputées pour leurs vertus antispasmodiques et relaxantes : bergamote, poivre noir, camomille, sauge sclarée, fenouil, genièvre, lavande, marjolaine, mélisse, néroli, menthe poivrée, romarin, bois de santal et thym.

En cas de douleurs musculaires, les huiles énumérées ci-après sont recommandées pour leurs vertus analgésiques (antidouleur). Ce sont des tonifiants musculaires que l'on peut appliquer avant de faire du sport ; elles ont également un effet relaxant après l'effort. Choisissez l'une d'elles : bergamote, camomille, cannelle, eucalyptus, lavande, marjolaine, néroli, pin, romarin et sauge.

En cas de douleurs rhumatismales, choisissez l'une de ces huiles : laurier, camomille, cèdre, eucalyptus, genièvre, lavande, citron, marjolaine, pin, romarin et thym.

En cas d'arthrite, les huiles suivantes sont connues pour soulager les douloureuses inflammations articulaires, qu'elles soient rhumatoïdes ou ostéoarthritiques : benjoin, camomille, cèdre, genièvre, lavande, citron, marjolaine, pin et romarin.

Préparation d'une compresse

1) Pour une compresse chaude, versez dans une bassine 1,2 l d'eau aussi chaude que vos mains peuvent le supporter. Pour une compresse froide, prenez de l'eau aussi froide que possible, en ajoutant au besoin des glaçons.

2) Ajoutez si vous le souhaitez des huiles utilisées en aromathérapie à raison de quatre à cinq gouttes pour les adultes, et une ou deux pour les peaux sensibles.

3) Pliez un morceau de tissu propre et absorbant (lin, étamine, coton, morceau de drap ou de serviette) que vous trempez dans l'eau en veillant à capturer les huiles de surface – si vous en utilisez.

4) Essorez la compresse et appliquez-la sur la zone à traiter.

5) Une fois que la température d'une compresse chaude a atteint celle du corps, remplacez-la par une autre. De même pour les compresses froides.

Libérer les tensions et assouplir les muscles

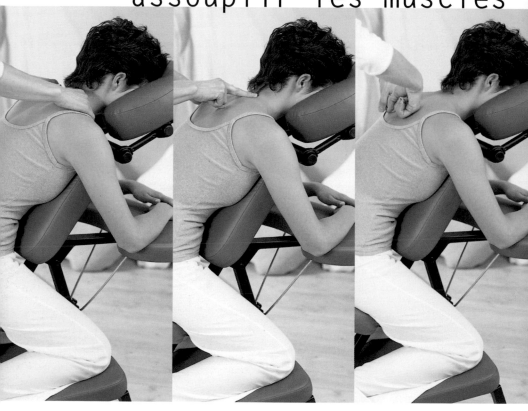

△ 1) Masser la tête et le cou

Réchauffez vos mains en les frottant vigoureusement l'une contre l'autre. Posez-les avec douceur sur les épaules de votre partenaire. Concentrez-vous et marquez une pause le temps de synchroniser votre respiration avec la sienne. Formez de grands cercles autour des muscles des épaules en brisant délicatement toutes les régions nouées. Recommencez six fois.
Dessinez de plus petits cercles en remontant le long des muscles du cou jusqu'à la base du crâne. Répétez six fois.

△ 2) Le râteau

Formez un « V » avec l'index et le majeur de votre main active. Posez la main mère confortablement sur une épaule. En partant de la base du cou, exercez une pression modérée de la pointe des doigts sur les contours des vertèbres en descendant jusqu'au milieu du dos. Terminez en remontant les doigts de chaque côté de la colonne. Recommencez trois fois.

△ 3) Les phalanges

Fermez légèrement les poings. Massez délicatement les épaules avec les phalanges et descendez le long des muscles de la colonne. Poursuivez le long des bras et recommencez trois fois. Lissez ensuite la région que vous avez traitée.

Bienfaits
Stimule le système nerveux.

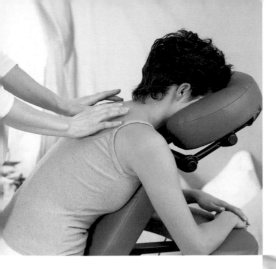

◁ 4) La plume

Caressez la nuque, les épaules et les muscles de la colonne du bout des doigts, comme une plume légère. Répétez l'exercice deux ou trois fois.

5) L'effleurage ▷

Remontez le long du dos et de la nuque en effectuant de longues caresses avec le dos des mains. Recommencez six fois.

Bienfaits

Votre partenaire en sort « grandi ».

◁ 6) La touche finale

Laissez votre partenaire se reposer quelques minutes. Couvrez-le avec une couverture chaude ou un drap en coton léger.

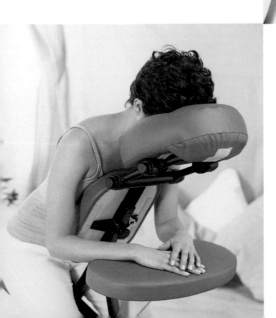

Réconfort et sensualité

Le toucher représente la condition de toute relation amoureuse satisfaisante. C'est le « plus » qui caractérise une véritable histoire d'amour. Cette autre façon de communiquer avec mon partenaire me transforme et m'enrichit. La réunion de deux personnes produit une vibration unique. Toutefois, si l'alchimie se révèle toujours différente, la constante reste la même : l'envie de donner et de recevoir. Ces tendres préliminaires peuvent vous inviter à explorer la nature sensuelle et érotique d'une relation naissante ou établie.

1) Masser le dos et le cou ▷

Asseyez-vous face à face en entrecroisant vos jambes, et enlacez-vous. Superposez vos mains, et massez le dos et le cou de votre partenaire dans le sens des aiguilles d'une montre ou dans le sens inverse selon votre intuition ou la préférence de votre partenaire. Massez-vous à tour de rôle en imitant les mouvements et les explorations de votre partenaire.

◁ 2) L'étirement-bascule

Posez vos mains derrière la nuque de votre partenaire, tandis que lui-même tend les bras et ancre ses mains dans votre dos.
Faites basculer le dos de votre partenaire autant que vous le pouvez, puis ramenez-le à la verticale. Recommencez six fois. Puis inversez les rôles.
Ensuite, placez chacun les mains derrière la nuque de l'autre, et penchez-vous le plus loin possible vers l'arrière. Basculez lentement d'avant en arrière en vous laissant aller de plus en plus. Recommencez autant que vous le souhaitez.

3) Masser les tempes ▷

Croisez les mains derrière la nuque de votre partenaire. Exercez une pression délicate mais constante, de l'éminence de vos mains sur les muscles de part et d'autre du cou. Maintenez quelques secondes, puis relâchez. Répétez plusieurs fois, puis inversez les rôles.

△ 4) L'enlacement

Terminez cette série par une tendre embrassade dont vous
augmentez lentement l'intensité jusqu'à ce que vos cœurs et
vos corps soient étroitement imbriqués.

Réconfort et sensualité

△ 5) Masser les bras

Allongez votre partenaire au sol sur le dos en reposant le haut de son corps et sa tête sur un coussin. Agenouillez-vous le plus près possible et pliez son bras gauche au-dessus de sa tête. Glissez votre main mère sous sa cage thoracique et placez votre main active sur sa poitrine, de manière à la prendre en sandwich. Tirez vos deux mains vers vous en remontant le long de l'aisselle et du bras jusqu'à la main. Recommencez deux ou trois fois. Puis faites de même avec le bras droit.

Bienfaits

Stimule le drainage lymphatique. Action apaisante et nourrissante.

6) Masser et étirer par les bras ▷

Demandez à votre partenaire de plier ses bras au-dessus de sa tête et glissez vos mains sous sa cage thoracique. Tirez lentement mais fermement le long des côtes, des aisselles, puis du haut des bras. Prolongez le mouvement sur les avant-bras, puis terminez en empoignant délicatement les poignets. Veillez à recouvrir le dessus du poignet plutôt que le pouls. Penchez-vous en arrière en étirant les bras et les épaules de votre partenaire. Arrêtez-vous dès que le geste devient inconfortable pour lui. L'idéal est un étirement délicat mais constant. Relâchez et recommencez trois fois.

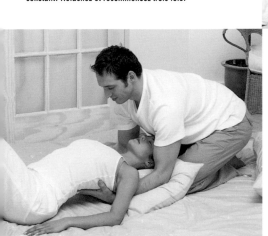

◁ 7) Ratisser le haut du dos

Glissez vos mains sous les omoplates de votre partenaire en écartant les doigts. Aidez-le à cambrer légèrement le dos pendant que vous ratissez le dos et le cou. Terminez avec douceur le mouvement derrière la tête.

8) Touche finale : la tête et le cœur ▷

Posez très délicatement votre main active sur le cœur de votre partenaire et votre main mère sur son front. Concentrez votre attention sur l'interaction énergétique entre ses deux centres vitaux et les vôtres.

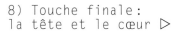

Lifting
naturel hi-ki

(4

Soins du visage

Les soins esthétiques ne sont pas la chasse gardée des instituts de beauté. Vous pouvez vous amuser à expérimenter des préparations maison, concoctées avec des ingrédients naturels. Les gommages faciaux à base de noix pilée, et les lotions et les masques à l'avocat ou à la pulpe de fruits tropicaux contiennent des enzymes qui redonnent un nouveau lustre à la peau. Utiliser des produits naturels frais que vous préparez vous-même plutôt que des produits préemballés, vous permet de garder le contact avec la nature. Appliquer ces potions du bout des doigts ou avec une brosse en poils naturels est un art à part entière : chaque geste crée un rythme et un flux qui massent la peau et apaisent les terminaisons nerveuses. L'intéressé a l'impression que toutes ses rides s'effacent. Voici un soin de beauté que j'utilise régulièrement. Vous trouverez quelques-unes de mes recettes page 118.

△ 1) Nettoyer le visage

Préparez votre partenaire en attachant ses cheveux avec un bandeau ou un foulard. Couvrez-lui le corps d'un drap chaud, d'une couverture fine ou d'une grande serviette de bain. Pour plus de confort, vous pouvez également placer une serviette roulée ou pliée sous son cou ou sa tête. Trempez légèrement un petit morceau de tissu en coton fin dans un mélange composé de deux tiers de lait de soja ou de noix de coco, et d'un tiers d'eau minérale, d'eau filtrée. Appliquez délicatement sur tout le visage avec des mouvements ascendants et circulaires.

△ 2) Nettoyer le cou

Inclinez la tête de votre partenaire d'un côté, et passez le tissu imbibé sur la poitrine, le cou et le visage. Terminez par la gorge, le menton, le côté du visage et l'arrière des oreilles. Recommencez deux ou trois fois jusqu'à ce qu'un côté du visage et du cou soit totalement propre, puis tournez la tête et répétez ces gestes de l'autre côté.

△ 3) Nettoyer l'intérieur et les contours des oreilles

Humectez un coin très fin du tissu, et nettoyez l'oreille externe avec un doigt en exerçant une légère pression dans les minuscules recoins. Terminez par un tour complet derrière l'oreille. Nettoyez ainsi les deux oreilles de fond en comble.

△ 4) Détendre le visage

Détendez délicatement les muscles faciaux en passant sur les contours du visage un pétale de rose.

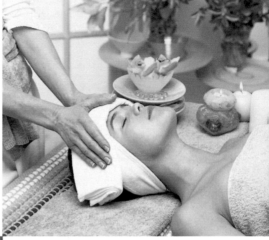

5) Sécher le front ▷

Pliez en long une taie d'oreiller en coton. Placez-la sur le front et séchez délicatement en allant du centre aux tempes. Recommencez deux ou trois fois.

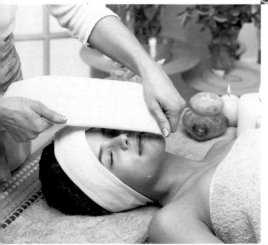

◁ 6) Sécher chaque côté du visage

Placez le pli de la taie d'oreiller sur un côté du visage en couvrant la narine – mais pas le nez – et en partageant le front en deux. Appuyez légèrement l'index de la main active sur le contour du front et le côté du nez. Puis massez légèrement vers l'extérieur en passant toute la main sur le côté du visage. Recommencez de l'autre côté du visage.

7) Sécher le cou et la gorge ▷

Placez la taie d'oreiller pliée sur le haut de la poitrine. Tenez le côté le plus près du cou, et remontez le long de la gorge et du cou en direction du menton. Recommencez deux ou trois fois en séchant ainsi tout le cou et la gorge. Vous pouvez faire les mêmes gestes avec une taie d'oreiller roulée.

◁ 8) Appliquer un gommage

Appliquez votre gommage préféré avec un blaireau en soies
naturelles, en exerçant une pression modérée sur le visage et une
pression plus légère autour du cou. Évitez les contours des yeux et
des lèvres.

◁ 9) Faire pénétrer le gommage

Faites pénétrer le gommage dans le cou et la gorge par de légers
mouvements ascendants des doigts. Sur le menton, pratiquez de
petits cercles délicats. Poursuivez sur tout le visage en évitant
toujours les contours des yeux et des lèvres.

Bienfaits

*Le gommage élimine les peaux mortes, stimule la sécrétion
naturelle de graisses, et prévient ainsi la sécheresse et le
vieillissement de la peau. Même les peaux grasses ont besoin
d'un exfoliant. Il leur faut toutefois une lotion plus légère avec
une touche de jus de citron jaune ou vert.*

◁ 10) Rincer le gommage

Rincez le gommage avec un petit gant de toilette rêche trempé
dans de l'eau minérale chaude ou froide. Ou bien utilisez le « lait »
de deux cuillerées à soupe de flocons d'avoine mélangées à 60 cl
d'eau chaude filtrée. Séchez délicatement le visage avec une
serviette de toilette chaude légèrement parfumée à l'eau de rose.

Soins du visage

J'applique fréquemment plusieurs masques successifs au cours d'une même séance – certains pour nettoyer et sécher la peau en profondeur, d'autres pour l'hydrater et la nourrir. Le but est d'éliminer les masques « métaphysiques » que nous utilisons tous pour projeter au monde une image fausse ou incomplète de nous-mêmes. Le risque est que nous finissions par avoir peur d'afficher notre beauté naturelle. Ce simple procédé peut vous aider à redécouvrir votre beauté naturelle – un visage doux et brillant pourvu d'un éclat rafraîchissant. Choisissez l'une des recettes de masques présentées page 118.

11) Appliquer un masque facial ▷

Appliquez la préparation sur le visage en dessinant des mouvements circulaires à l'aide d'un pinceau de maquillage en poils naturels souples.

12) Fixer le masque ▷

Pour que le masque reste humide, recouvrez le visage de fines rondelles de concombre épluché. Laissez reposer une dizaine de minutes.

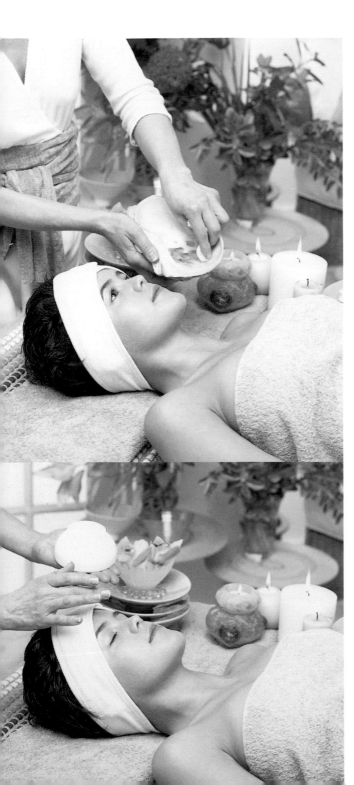

◁ 13) Retirer le masque

Faites tremper un linge dans de l'eau minérale ou de l'eau de rose. Puis retirez les rondelles de concombre et le masque à l'aide de ce linge. Séchez le visage en le tamponnant avec une serviette de toilette douce et chaude.

◁ 14) Nourrir et hydrater

Réchauffez une crème de visage nourrissante sur le dos de votre main ou au bain-marie dans un petit bol en céramique. Appliquez la crème avec les majeurs. Commencez par le front avec des mouvements circulaires, puis descendez sur les tempes, en massant délicatement le contour des orbites et des paupières fermées.

15) Lisser les joues ▷

Trempez le bout des doigts dans la crème de visage réchauffée, et effectuez des mouvements circulaires sur les joues en allant du nez vers l'extérieur. Pincez, puis relâchez les muscles des joues en partant des narines aux tempes.

◁ 16) Effleurer les lèvres

Les doigts toujours enduits de crème, appuyez délicatement les pouces au-dessus de la lèvre supérieure et les index au-dessous de la lèvre inférieure. Entourez la mâchoire de la paume de vos mains et laissez les autres doigts tomber naturellement sous le menton. Faites glisser vos doigts et vos pouces en direction des tempes. Massez le contour des tempes avec l'index. Appuyez délicatement, maintenez la pression, puis relâchez. Répétez toute la procédure trois fois.

▷ 17) Effleurer le menton

Pincez délicatement la partie charnue du menton entre le pouce et l'index des deux mains. Longez la mâchoire jusqu'aux tempes en terminant par un cercle. Appuyez, maintenez, puis relâchez. Recommencez trois fois.

△ 18) Effleurer le cou

Du bout des doigts, faites pénétrer la crème dans la gorge et le cou en effectuant, une main après l'autre, de légers mouvements ascendants. Pour terminer, humectez un index et remontez du bout du nez au troisième œil. Dessinez un cercle, appuyez délicatement, maintenez la pression, puis relâchez.

10 minutes de massage par Joseph Corvo

Tout étudiant en anatomie sait – ou apprend un jour – que la structure physique du corps n'est qu'un aspect de l'être humain. En effet, les médecines traditionnelles reconnaissent l'existence d'une autre dimension « sublime » – ce composant énergétique, appelé *ki*, *qi* ou *prana*, qui complète et reflète la dimension physique. D'après la doctrine écrite et les témoignages quotidiens des praticiens, cette énergie des plus intimes nourrit tout notre corps. Avec des connaissances et de la pratique, on peut manipuler et canaliser le *ki* pour supprimer les blocages, et permettre une meilleure prise de conscience et une véritable beauté physique. Son flux naturel et libre est essentiel au bien-être physique, affectif et mental.

L'équilibre des énergies vitales

En cas de mauvaise circulation de cette énergie, le visage peut être insuffisamment alimenté en sang, en oxygène, en protéines et en minéraux. Conséquence, la peau se dessèche, se ramollit et vieillit. L'approche de « thérapie des zones de réflexe » de Joseph Corvo, dont il a tiré un massage facial quotidien de dix minutes, peut corriger ces déséquilibres, et ainsi muscler à nouveau le visage et vivifier le teint.

On nous juge avant tout sur notre attribut le plus visible – le visage. Lui apporter un soin rigoureux est donc probablement l'effort esthétique le plus gratifiant. Les crèmes, lotions démaquillantes et autres produits de beauté ne font pas tout. Le massage est de loin le plus efficace des tonifiants. Si vous souhaitez que votre visage soit plus ferme, plus rempli, plus agréable et plus beau, prenez le temps d'intégrer ce programme dans votre toilette quotidienne. Votre visage vous en sera reconnaissant.

La localisation des points précis

L'emplacement des zones du corps varie légèrement d'un individu à l'autre, mais grâce à une pratique régulière, vous les localiserez rapidement. Si vous avez des difficultés, allez légèrement au-dessus, au-dessous ou sur le côté. Au cours des premières étapes, ces zones seront probablement sensibles en raison des toxines accumulées. Coupez vos ongles assez courts pour ne pas vous griffer.

Comprimer avec sensibilité

Procédez toujours par mouvements circulaires vers le haut et l'extérieur. Vous pouvez exercer une action en profondeur très ferme selon votre propre seuil de tolérance ; certaines personnes supportent une pression plus forte que d'autres. Pour tous les points – sauf pour les points 3, 4 et 15, pour lesquels le geste doit être plus délicat –, vous pouvez appuyer aussi fort que vous le souhaitez. Là où il y a congestion, il vous faudra écouter vos réactions. Sur les points douloureux, ne maintenez pas trop longtemps une pression soutenue. Appuyez quelques secondes, poursuivez plus loin, puis revenez sur la zone sensible après un bref temps de repos. Au fur et à mesure de la progression de votre thérapie, vous éliminerez les dépôts cristallins de la peau et des terminaisons nerveuses jusqu'à disparition des zones sensibles. Vous saurez alors que la thérapie des zones de réflexe a été efficace. Avant de commencer le traitement, lavez ou démaquillez votre visage et séchez-le soigneusement. Sur l'illustration de la page suivante, vous verrez les points à masser et dans quel ordre. Passez environ trente secondes sur chaque point.

Page de droite : Points de pression du visage et des oreilles. Les chiffres sont repris dans les pages suivantes.

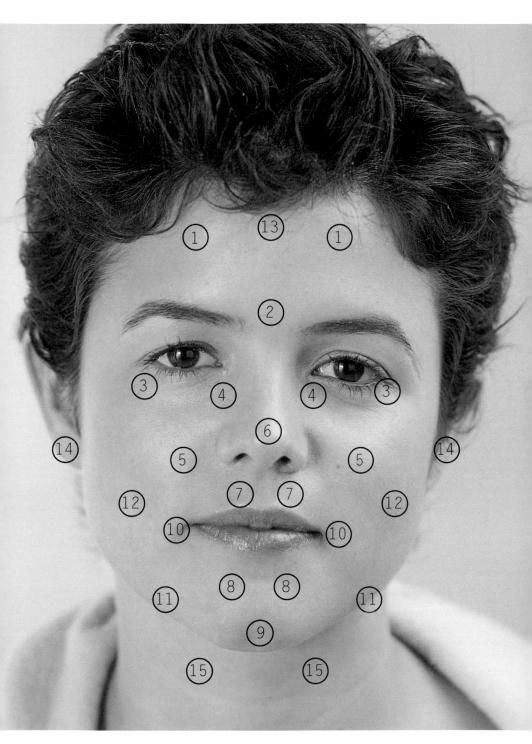

10 minutes de massage par Joseph Corvo

△ 1) La stimulation mentale

Cette première position améliore le tonus de la peau et des muscles du front, ainsi que la clarté mentale. Avec le temps, les rides de stress et d'inquiétude gravées dans le front peuvent se réduire à de simples traces rappelant la présence de rides d'expression.
Il semblerait également que le massage de cette région puisse clarifier les idées et stimuler les réflexes.

Technique

Trouvez le bord supérieur du front, là où l'os est renforcé. En partant des côtés, glissez lentement mais fermement les majeurs vers le centre du front en formant des cercles d'environ 1 cm. Une fois au centre, repartez sur les côtés. Recommencez quatre fois.

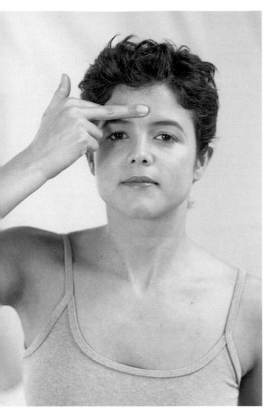

◁ 2) L'hypophyse et le troisième œil

L'hypophyse est la tour de contrôle qui régule la circulation des hormones dans le corps. Traditionnellement associée au maître *Ajna chakra* – le troisième œil –, son bon fonctionnement est essentiel à celui de l'ensemble du système endocrinien. Comprimer ce point stimule l'hypophyse, libère l'imagination et améliore considérablement la perspicacité.

Technique

Trouvez le léger renfoncement dans votre front. Massez en petits cercles d'environ 1 cm pendant trente secondes.

3) Le côlon ▷

Prenez soin de votre côlon et il prendra soin de vous. Lorsqu'il fonctionne mal, les toxines s'accumulent dans l'organisme qui élimine mal les déchets. D'où une apathie et une fatigue qui se lisent sur le visage.

Technique

Pour masser le point 3, tapotez délicatement sous chaque œil en allant de l'extérieur vers l'intérieur en direction du nez, puis revenez. Recommencez quatre fois.

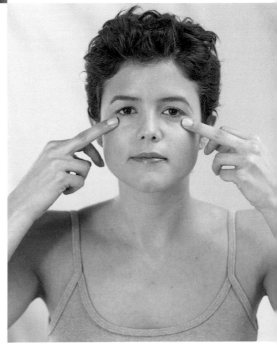

10 minutes de massage
par Joseph Corvo

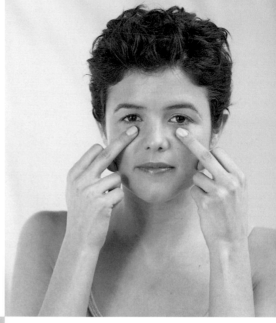

4a) La stimulation des reins ▷

Des reins en bonne santé éliminent les toxines et l'acidité. La majeure partie des aliments que nous mangeons sont très acides. On comprend pourquoi ces organes sont vitaux. Tout dysfonctionnement aura des répercussions sur l'état de santé et sur la peau du visage. Le point 4 situé sous chaque œil est en liaison directe avec les reins.

Technique

Pour masser le point 4, tapotez doucement sous chaque œil en commençant à l'extérieur et en vous dirigeant vers le creux situé entre le coin des yeux et le nez, puis en repartant vers l'extérieur. Recommencez quatre fois.

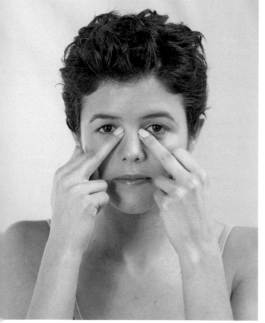

◁ 4b) La stimulation des reins

Ci-contre, la photo indique la position finale des doigts.

5) Le transit intestinal ▷

Des intestins paresseux sont très souvent à l'origine d'un teint terreux et terne. Un massage minutieux de certains points stimulera et régulera le fonctionnement des intestins. Vous retrouverez alors un teint éclatant.

Technique

Trouvez le sommet de l'arête de la pommette, puis comprimez-le. Massez le plus fort possible en un mouvement circulaire vers le haut et l'extérieur, tout en vous déplaçant lentement le long de la pommette. Recommencez quatre fois.

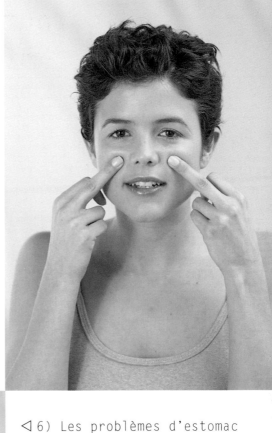

◁ 6) Les problèmes d'estomac

Ce geste peut être d'un grand secours à tous ceux qui souffrent de troubles digestifs. Un massage vigoureux du bout du nez fera des merveilles.

Technique

En partant de la position de l'exercice précédent, faites glisser l'un des deux doigts jusqu'au bout du nez. Appuyez le plus fort possible et tournez lentement pendant trente secondes en respectant les limites du confort.

10 minutes de massage
par Joseph Corvo

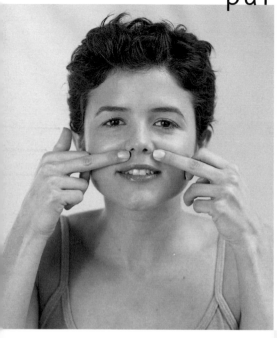

◁ 7) La rate

La rate joue un rôle important dans le système immunitaire.
Massez minutieusement ces zones.

Technique

*Appuyez de part et d'autre de l'arête qui va du
nez au milieu dc la lèvre supérieure, et dessinez
des cercles de 1 cm de diamètre. Comprimez
suffisamment fort pour sentir vos gencives.
Recommencez quatre fois.*

8) Le pancréas ▷

Le pancréas sécrète des enzymes alcalines qui facilitent la
digestion. Le massage minutieux de ces zones peut vous aider à
retrouver et à conserver une peau et un visage éclatants.

Technique

*Partez des coins extérieurs sous la lèvre inférieure, et
revenez vers le centre par petits mouvements de
rotation fermes, puis repartez vers l'extérieur. Appuyez
assez fermement pour sentir vos gencives sous vos
doigts. Recommencez quatre fois.*

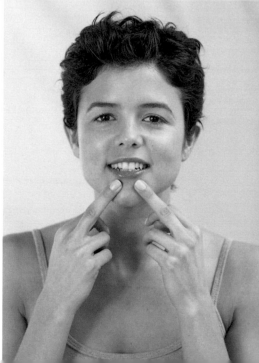

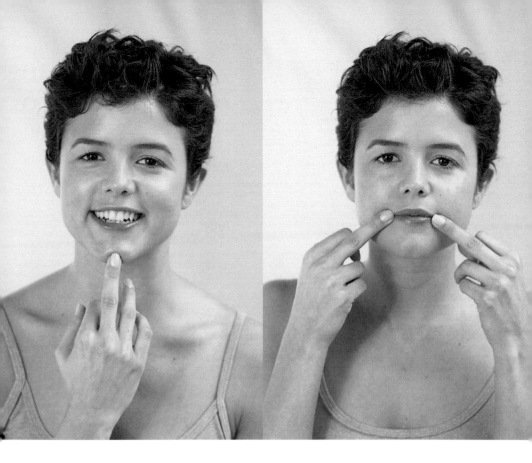

△ 9) Les intestins

Tous ceux qui souffrent de constipation connaissent parfaitement ses effets pernicieux sur l'organisme. Elle est l'une des principales causes d'apathie et de manque d'énergie. Elle entraîne également l'accumulation de grandes quantités de toxines responsables d'un teint et d'un regard ternes, et d'une haleine désagréable. Un massage vigoureux de cette zone vous aidera à y remédier, et redonnera de l'éclat et des couleurs à votre visage.

Technique

Situez le renfoncement dans votre menton, puis tournez en appuyant le plus fort possible pendant trente secondes.

△ 10) Les poumons

Un massage de la zone associée aux poumons améliorera le fonctionnement de ces organes et vous aidera à éviter les rhumes, les bronchites et l'asthme, souvent provoqués par le stress. Une meilleure oxygénation rééquilibrera considérablement l'état des tissus du visage et se traduira par un regain d'énergie.

Technique

Trouvez le muscle descendant de chaque côté de la bouche. Puis appuyez aussi fort que possible en tournant pendant trente secondes.

10 minutes de massage
par Joseph Corvo

△ 11a) Le désir sexuel

La bonne activité de nos glandes sexuelles est indispensable à notre santé physique, affective et psychologique. Leur dysfonctionnement peut provoquer l'impuissance, le manque d'appétit sexuel et la perte de contrôle.

Technique

En partant juste en dessous des oreilles, effectuez des mouvements de rotation en remontant le long de l'arête du maxillaire jusqu'à ce que vous vous trouviez à l'aplomb de vos pupilles. Redescendez et recommencez quatre fois en appuyant le plus fort possible. La photo indique la position de départ.

◁ 11b) Le désir sexuel

Technique

En partant juste en dessous des oreilles, effectuez des mouvements de rotation en remontant le long de l'arête du maxillaire jusqu'à ce que vous vous trouviez à l'aplomb de vos pupilles. Redescendez et recommencez quatre fois en appuyant le plus fort possible. La photo indique la position finale.

12) Le foie et le système lymphatique ▷

Le foie a pour fonction de purifier le sang. Un foie fatigué a des répercussions sur tout l'organisme, surtout sur la peau du visage. Une peau flétrie et un visage qui paraît plus vieux que son âge sont le résultat d'une mauvaise alimentation. Ces mouvements tonifient également le système lymphatique qui est aussi important pour l'état de santé général que pour l'éclat du visage et de la peau.

Technique

Trouvez le point le plus profond de la joue, à la rencontre du maxillaire et de la pommette. Massez en cercles de 1 cm en appuyant le plus fort possible pendant trente secondes.

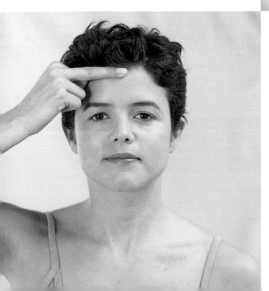

◁ 13) Le système nerveux

Masser cette région tonifie l'ensemble du système nerveux et procure un sentiment de paix et de tranquillité. Cette sensation de bien-être se lit toujours sur le visage.

Technique

Massez le point central de votre front en cercles de 1 cm en appuyant le plus fort possible pendant trente secondes.

10 minutes de massage
par Joseph Corvo

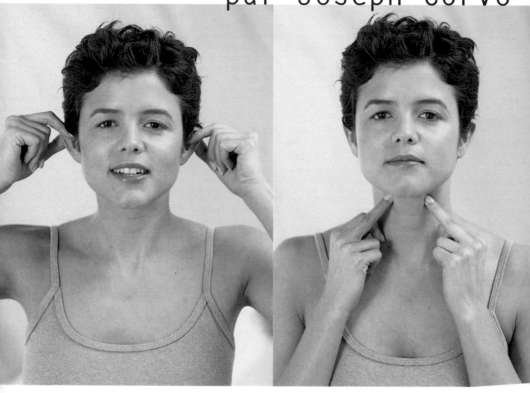

△ 14) Le tonus de l'organisme

Et pour terminer, donnez du tonus à tout votre organisme en vous massant les oreilles. Comme les pieds, elles contiennent plusieurs points vitaux reliés à diverses parties du corps et à leur fonctionnement.

Technique

Massez l'une après l'autre les oreilles en les tenant entièrement entre le pouce et l'index. Commencez au sommet, puis montez et descendez quatre fois en appuyant le plus fort possible. En quelques minutes, un doux frisson envahira tout votre corps. Ses effets se liront sur les muscles et le teint de votre visage. La photo indique la position finale.

△ 15) La thyroïde

Les points de la thyroïde sont situés de part et d'autre de la trachée ; ils sont vitaux pour la santé. S'ils fonctionnent mal, l'organisme est fatigué, le pouls faiblit et la respiration devient difficile. Le patient souffre du froid, prend du poids, a une mauvaise circulation, et sa peau devient sèche et squameuse. C'est une glande tellement sensible qu'il est préférable de ne pas y toucher. Les massages de la thyroïde ne sont donc pas recommandés.

Touches finales

Il est important de boire un verre d'eau après chaque séance de dix minutes. Vous éliminerez ainsi les toxines que vous avez délogées dans la peau et les tissus du visage.

Si, chaque jour, vous prenez le temps de procéder aux dix minutes de massage facial de Joseph Corvo, vous serez surpris par l'éclat de votre visage. Vos tissus musculaires et votre peau se raffermiront ; ce sera un véritable lifting naturel. La vraie beauté vient de l'intérieur et, après un tel programme, une personne au teint éclatant dégagera une énergie qui reflétera parfaitement ses émotions et véhiculera fidèlement ses idées.

Les points sont situés sur la tête, mais les effets se font sentir dans tout l'organisme. Si vous êtes en surcharge pondérale, par exemple, vous devriez perdre du poids sur les hanches, les cuisses et l'estomac. La réflexologie, ou massage des pieds, fait de nombreux adeptes, séduits par son efficacité dans la régulation de l'organisme. La tête, comme les pieds, foisonne de méridiens accessibles et de *chakras* énergétiques. En vous aidant d'un miroir pour orienter vos doigts, il vous sera extrêmement facile de localiser et de masser ces zones vitales.

Affirmation positive

Comme dans tous les systèmes qui fonctionnent sur le plan physique et mental, si vous souhaitez définir vos attentes et la discipline souple dont vous aurez besoin pour réaliser ce massage régulièrement, le mieux est de choisir une affirmation positive. Elle doit être percutante et n'utiliser que des termes positifs. Voici quelques-unes des phrases que mes étudiants ont utilisées avec beaucoup d'efficacité au fil des ans : « Mon visage respire la santé et la beauté » et « Ma peau reflète un rayonnement intérieur ».

Les affirmations positives, ou *Sankalpas* yogi/tantriques, exploitent la force mentale, dont le pouvoir suggestif serait à l'origine de toutes sortes de progrès personnels. Le corps va toujours là où le mène l'esprit. Si vous voyez votre peau comme un organe parfait et vital, vous aurez envie de lui consacrer du temps. Je suis toujours surprise de voir à quel point les personnes réussissent à retrouver la santé et à changer de style de vie à la seule force de la volonté. Joseph Corvo a conçu ce programme de lifting naturel que je recommande chaudement.

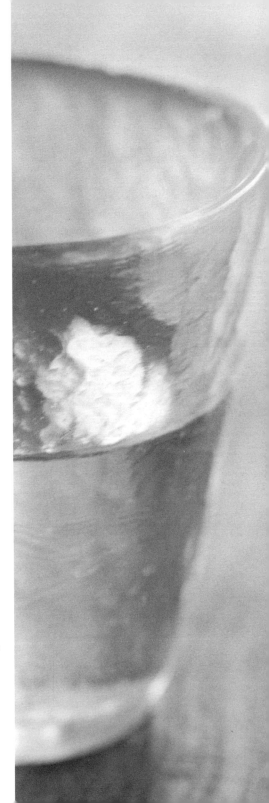

Le pouvoir de guérison du massage

Première technique
d'enveloppement de la tête

Envelopper la tête dans un oreiller parfumé a un effet quasiment hypnotique. Le bruit des mains contre le tissu apaise et calme les terminaisons nerveuses. En général, je n'utilise que du coton ou du lin fin. Ces gestes chassent et préviennent tous les maux de tête sévères, la dépression et l'anxiété. Et en prime, pour un malade, le traitement est moins agressif qu'un massage manuel direct qui, au début, peut être difficile à supporter.

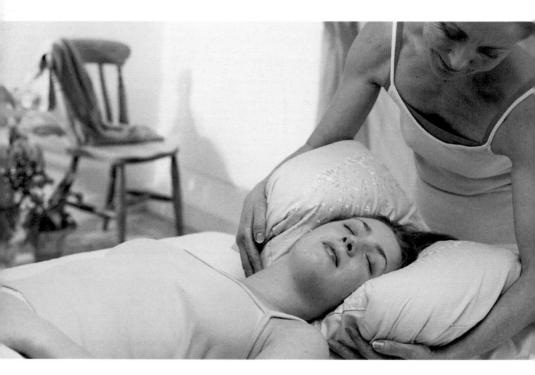

△ 1) Confidences sur l'oreiller

Si vous avez l'intention de poursuivre ce traitement jusqu'aux programmes 2 et 3, prenez un morceau de voile ou de tissu fin de la longueur de vos bras, et étendez-le en travers du lit ou de la table de massage. Recouvrez-le d'un drap de coton roulé dans le sens de la largeur. Posez un oreiller par-dessus. Vous pouvez parfumer légèrement tout le linge à l'eau de rose, à la lavande ou à la fleur d'oranger.

Demandez à votre partenaire de poser sa tête sur l'oreiller, les cheveux relevés loin de la nuque. Glissez vos mains sous l'oreiller et prenez sa tête en coupe en appuyant sur les côtés de son visage. Maintenez pendant deux ou trois respirations.

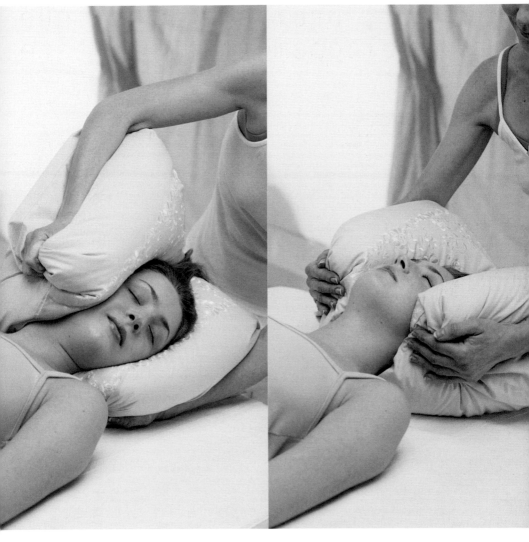

△ 2) Torsion et rotation

À l'aide de l'oreiller, tournez la tête à droite, puis ramenez-la au centre et tournez-la à gauche. Recommencez deux ou trois fois pour détendre le cou.

Attention : *le sommet du crâne doit rester dans l'axe de la colonne vertébrale, en particulier lors des mouvements de rotation.*

△ 3) Traction

Placez la tête droite et tirez lentement l'oreiller vers vous en serrant légèrement la nuque. Si vous ne l'avez pas encore fait, placez le drap plié sous la nuque pour l'exercice suivant.

Deuxième technique d'enveloppement de la tête

1) Tirer la tête ▷

Tirez lentement et délicatement le drap roulé vers vous. Étirez la nuque en recouvrant les oreilles et les côtés de la tête. Maintenez l'extension pendant deux ou trois respirations en laissant à votre partenaire le temps de se détendre, puis relâchez.

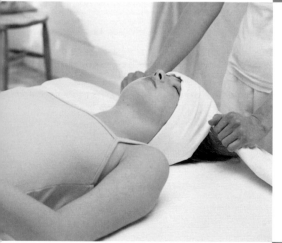

◁ 2) Croiser les mains

En maintenant toujours le drap roulé, croisez les mains pour que le drap recouvre le front. Glissez les mains sous la base du crâne et plaquez le tissu en appuyant délicatement d'un geste continu sur les oreilles et les tempes. Recommencez deux ou trois fois. Défaites le pli et tirez le drap roulé sous la tête en le maintenant près des côtés de la tête.

3) Comprimer la tête ▷

Posez le drap sur le sommet de la tête, autour du visage, sur les épaules et le long des bras. Pressez les paumes des mains sur le sommet de la tête, puis faites-les glisser sur le tissu jusqu'aux épaules. Recommencez trois fois.

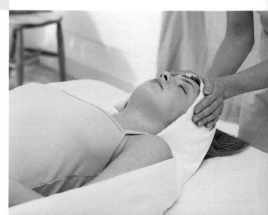

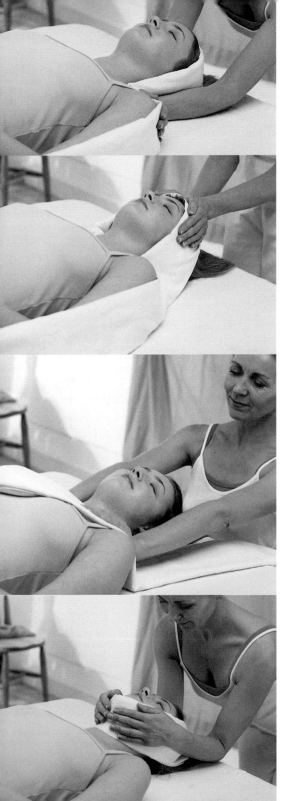

◁ 4) Pousser les épaules

Posez la paume de vos mains sur les épaules de votre partenaire et poussez en direction de ses pieds. Maintenez pendant deux ou trois respirations, relâchez légèrement et recommencez trois fois.

◁ 5) Comprimer le front

Soulevez le drap roulé et posez-le sur le front en le pressant sur les tempes avant de le plaquer en travers du lit. Placez vos paumes sur le front et faites-les glisser du centre vers l'extérieur, sur les tempes. Appuyez délicatement pendant deux ou trois secondes. Répétez trois fois et terminez le dernier mouvement en étalant le drap roulé en travers du lit.

◁ 6) Pousser les muscles des épaules

Tirez le milieu du drap sous le menton jusqu'au centre du sternum en lissant le drap sur les épaules. Poussez les muscles des épaules de votre partenaire en direction de ses pieds. Relâchez légèrement et recommencez trois fois. Pour terminer, soulevez le milieu du drap en le tirant légèrement sur le visage et en caressant les deux côtés avec le tissu.

◁ 7) Masser le menton et la mâchoire

Entourez le menton et les deux côtés du visage avec le drap roulé. Posez les mains en coupe sur le menton et la mâchoire. Plaquez le tissu en remontant jusqu'aux tempes et appuyez légèrement. Maintenez quelques secondes et recommencez trois fois.

Troisième technique
d'enveloppement de la tête

Ces gestes peuvent être pratiqués avec du linge de différentes couleurs, légèrement imprégné de toutes sortes d'eaux parfumées. Il n'existe pas de règle absolue en matière de chromothérapie, car tous les méridiens n'ont pas les mêmes besoins pour leur équilibre. Toutefois, les couleurs ont généralement un effet calmant (rose), vivifiant (bleu), dynamisant (rouge/orange), stimulant (jaune), tonifiant (vert clair ou vif), curatif (lavande/violet) ou purifiant (blanc).

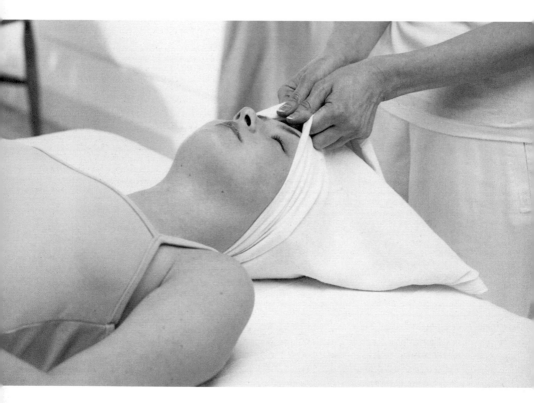

△ 1) Tirer la tête

Utilisez le rectangle de tissu que vous avez placé sous la tête avant de commencer. Tirez-le vers vous en enveloppant la base du crâne, et étirez la tête et le cou. Maintenez pendant deux ou trois respirations, relâchez en douceur et recommencez trois fois.

Variante *Saisissez les côtés du linge à une main de distance de la tête. Ainsi, vous exercerez toujours une pression, mais plus loin de la tête.*

2) Le nœud ▷

Enveloppez la tête dans le linge et tournez en tirant légèrement les cheveux. Faites un nœud si les cheveux sont assez longs et maintenez le nœud avec votre corps. Glissez vos mains derrière le crâne, et remontez jusqu'aux oreilles et aux tempes. Répétez trois fois.

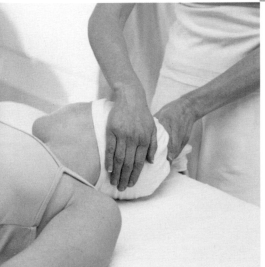

◁ 3) Masser derrière la tête

Tournez la tête d'un côté et stabilisez-la avec le nœud. Remontez de l'arrière de la tête jusqu'aux oreilles trois fois de suite avec le plat de la main. Replacez la tête au centre, en tenant légèrement le nœud, et tournez la tête de l'autre côté. Répétez ces gestes apaisants à trois reprises.

4) Le cocon ▷

Déroulez le linge. Pliez le bord supérieur sur le front et, avec une torsade, faites-le descendre sur les côtés du visage jusqu'aux épaules et aux bras, à la manière d'un sari, pour former une sorte de cocon. Laissez votre partenaire se reposer et s'imprégner des bienfaits de vos gestes et des sons apaisants.
Pour terminer, placez une petite fleur sur le troisième œil de votre partenaire.

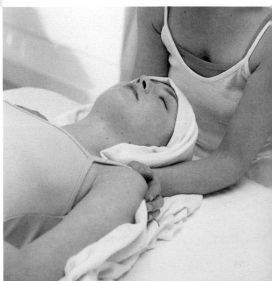

Les huiles et
les lotions de massage

Les huiles sont l'une des meilleures sources nutritives de la peau ; elles contiennent des protéines, des hydrates de carbone et d'autres ingrédients essentiels absorbés par les pores. Leur effet peut être tout à fait surprenant, car elles agissent sur les fibres nerveuses. L'huile possède un immense éventail de précieuses qualités, notamment pour prévenir les sécheresses, assouplir les tissus et retarder les effets du vieillissement. Elle adoucit et lisse la peau, évite les frottements, et diffuse la chaleur uniformément dans tout le corps.

Les huiles de base

Les meilleures huiles de base sont les huiles vierges de première pression à froid – procédé qui leur permet de préserver une grande partie de leurs oligo-éléments et de leurs propriétés. Les huiles de massage ne doivent pas avoir subi un traitement thermique, et ne pas comporter d'additifs. J'utilise le plus souvent les huiles de noix de coco ou d'olive – qui sont en vente partout –, le jasmin ou l'amande de pêche pour traiter les cheveux, et les huiles plus légères et inodores telles que les huiles de carthame, de pépins de raisin, de sésame et d'amande douce pour les soins du corps.

Les préparations ayurvédiques

Les médecines ayurvédiques utilisent quelques préparations plus exotiques telles que l'huile de moutarde, qui soulage la douleur,

les inflammations et les plaies de toutes sortes ; le bois de santal, qui agit contre l'impuissance, les maux de tête et l'insomnie ; le bhringaraj, qui prévient les pellicules et la sécheresse du cuir chevelu ; le brahmi-amla, un excellent mélange d'huile capillaire qui améliore la mémoire et soigne les problèmes d'insomnie et de sinus ; et la coriandre, qui favorise la digestion. Ces huiles commencent à faire leur apparition dans les magasins de produits de beauté.

L'aromathérapie

Il existe de nombreux mélanges d'huiles de base et d'huiles essentielles plus actives. Bon nombre d'entre eux peuvent être utilisés pour traiter certaines affections de la peau, des cheveux et du corps. Toutefois, l'aromathérapie s'étudie comme une science et un art ; elle ne doit pas être pratiquée sans formation. Les huiles essentielles ne sont pas utilisées directement sur la peau ; elles doivent être diluées dans des huiles de base, pour ne plus présenter aucun danger et pour que les mains du masseur puissent glisser sans frottements sur la peau. Les huiles essentielles agissent autrement que par les massages. Je veille toujours à soigner le décor et à instaurer un climat propice en faisant chauffer ou brûler des huiles essentielles dans un récipient spécial, ou en en aspergeant au moins les draps et le linge. Parfois, une orange percée ou pelée peut suffire.

L'onction de la tête

Voici un traitement classique dont les origines remontent à l'Antiquité. Utilisez soit de l'huile d'olive vierge de première pression à froid, soit l'une ou l'autre des nombreuses huiles parfumées chauffées ou à température ambiante.

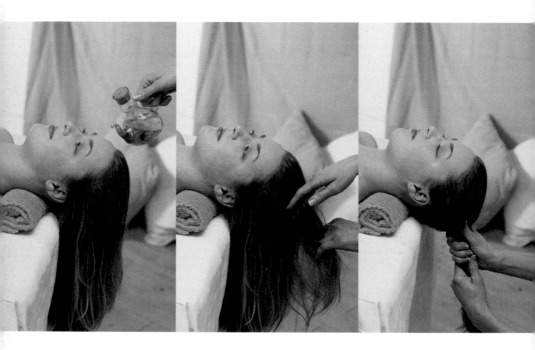

△ 1) Assurez-vous que votre partenaire tient sa tête bien inclinée vers l'arrière. Aspergez ou versez lentement l'huile sur le troisième œil, puis sur les cheveux, après avoir préalablement posé un bol par terre pour en recueillir l'excédent.

△ 2) Ensuite, peignez les cheveux avec les doigts en partant toujours du cuir chevelu. S'ils sont longs, nouez-les pour essorer l'excès d'huile.

△ 3) Enveloppez les cheveux dans une serviette chaude ou dans une feuille de papier d'aluminium. Laissez reposer si possible plusieurs heures, le temps que l'huile pénètre bien dans le cuir chevelu. Lavez ensuite les cheveux.

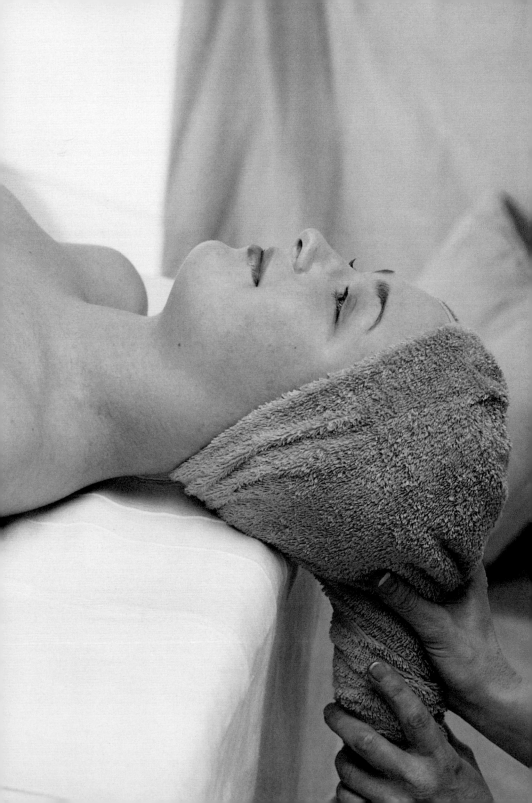

Le massage
ayurvédique : l'onction

Utilisez l'huile de votre choix, lubrifiez trois points importants – la fontanelle, l'épi et le creux à la base du crâne – puis étendez sur tout le cuir chevelu.

△ 1) Mesurer la fontanelle

Demandez à votre partenaire de placer ses mains de manière à pouvoir mesurer l'emplacement exact du premier point – la fontanelle antérieure ou frontale, ou *Brahmand*. S'il pose les deux mains côte à côte sur le front en plaçant le petit doigt entre les deux sourcils (sur le troisième œil), ce point vital doit se situer exactement sous le huitième doigt, au sommet et au centre de la tête : c'est l'une des dix « portes » du corps. Elle est visible chez les bébés, car elle est encore souple et permet au crâne de se développer. Une fois que vous avez localisé ce point, enduisez les racines d'huile et étendez uniformément autour.

△ 2) Localiser l'épi

À douze doigts des sourcils se trouve l'épi, ou *Mardhi marma*, marqué physiquement par une volute de cheveux : c'est la terminaison du *Sushumna nadi* – le plus important de tous les canaux énergétiques. Traditionnellement, les Hindous ne rasent pas cette zone où pousse une mèche de cheveux appelée *Shikha*. Pour huiler cette zone, tournez les cheveux dans le sens des aiguilles d'une montre et nouez-les sans serrer. Étalez l'huile uniformément en direction des tempes.

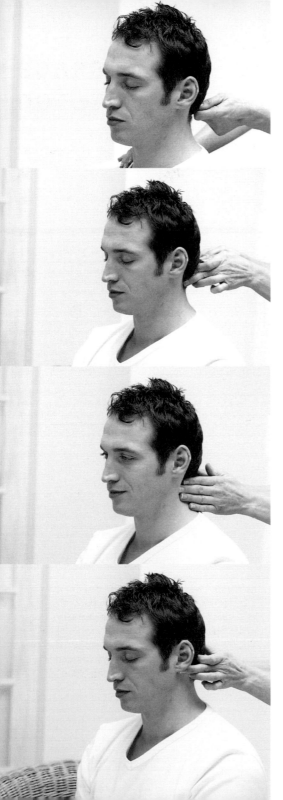

◁ 3) Huiler le creux à la base du crâne

Pour terminer, enduisez d'huile le troisième point, le creux à la base du crâne, à la naissance de la nuque. Étendez l'huile uniformément à l'arrière de la tête.

◁ 4) Krikatika marmas

Après avoir huilé les trois points, localisez les *Krikatika marmas* de part et d'autre de la dernière vertèbre palpable. Effectuez des mouvements circulaires des doigts.

◁ 5) Siramatrika marmas

Déplacez les doigts pour localiser la paire de *Siramatrika marmas* de part et d'autre de la nuque, juste sous l'occiput (l'os à l'arrière du crâne). **Massez par mouvements circulaires pour chasser les tensions et les toxines.**

◁ 6) Viduram marmas

Les *Viduram marmas* sont situés dans un creux derrière l'oreille. Effectuez des mouvements circulaires, et poursuivez sur le crâne et autour de l'oreille jusqu'aux tempes. Répétez les phases 4, 5 et 6 dans le même ordre.

Le massage ayurvédique

◁ 7) Fontanelle : frictionner, tourner et tirer

En partant près des oreilles et des tempes, remontez par friction jusqu'au sommet de la tête et saisissez une petite poignée de cheveux au niveau de la fontanelle, ou *Brahmand*. Frictionnez, tournez et tirez délicatement vers le haut dans le sens des aiguilles d'une montre. Relâchez et recommencez dix fois.

8) Épi : frictionner, tourner et tirer ▷

Resituez l'épi, ou *Mardhi marma*, saisissez une petite poignée de cheveux et tirez-la délicatement en frottant et en tournant dans le sens des aiguilles d'une montre. Relâchez et répétez dix fois.

◁ 9) Creux : frictionner, tourner et tirer

Saisissez une petite poignée de cheveux dans le creux à la base du crâne, frictionnez, tournez et tirez délicatement dans le sens des aiguilles d'une montre. Recommencez dix fois.

△ 10) Relâchement total des tensions

Partez de la base de la nuque, ratissez les cheveux en remontant le long du creux, de l'épi et de la fontanelle, puis croisez les doigts au sommet de la tête. Répétez ce geste dix fois, puis secouez les mains pour chasser les tensions et les ondes négatives.

Le massage thaï

J'ai choisi ici de partager avec vous quelques-unes des meilleures techniques de massage thaï et indiennes. Elles se complètent, puisque l'une est une méthode d'échauffement et l'autre une méthode de compression plus ferme. Toutes deux stimulent les systèmes nerveux. La dernière, la méthode tantrique, est une approche non-physique de l'équilibre énergétique.

△ 1) Marteler la tête

Tenez-vous derrière votre partenaire et posez délicatement vos mains sur ses épaules pour concentrer votre attention. Prenez une minute pour synchroniser vos rythmes respiratoires.
Joignez les paumes de vos mains en croisant les pouces. Les poignets très souples, « martelez » délicatement toute la tête avec le tranchant des mains.

△ 2) Comprimer la tête

Croisez vos doigts et « enveloppez » la tête de votre partenaire. Pressez délicatement l'éminence de vos mains de chaque côté de la tête en décollant le cuir chevelu. Maintenez quelques secondes, relâchez légèrement et répétez deux ou trois fois. Glissez les mains derrière la tête, appuyez, maintenez et relâchez. Recommencez deux ou trois fois.
Basculez la tête vers l'avant et croisez les doigts derrière la nuque. Appuyez, maintenez et relâchez deux ou trois fois.

△ 3) Envelopper le visage

Appliquez vos doigts sur les yeux, le nez, les lèvres et le menton et maintenez pendant deux ou trois respirations. Appuyez délicatement avant de glisser les doigts sur les tempes. Recommencez deux ou trois fois.
Posez vos mains sur les épaules et offrez à votre partenaire le soutien et le confort de votre corps.

4) Comprimer les tempes ▷

Assurez-vous que votre partenaire tient sa tête bien droite et soutenez son corps avec le vôtre. Posez l'éminence de vos mains devant ses oreilles et vos paumes sur ses tempes. Procédez à un lent massage circulaire vers l'avant. Recommencez six fois. Massez également les pommettes et le creux des joues pour stimuler les muscles faciaux.

◁ 5) Effleurer le front

Remontez avec les doigts le long du front jusqu'à la naissance des cheveux en alternant les mains. Répétez deux ou trois fois.

6) Masser le cuir chevelu ▷

Comprimez la tête du bout des doigts, et massez le cuir chevelu par petits mouvements circulaires en faisant levier avec les pouces. Levez les mains et repositionnez les doigts en différents points de la tête jusqu'à ce que vous l'ayez entièrement massée.
Pour terminer, caressez les cheveux en laissant votre partenaire se reposer contre vous une minute.

La thérapie tantrique des chakras

Comme vous l'aurez compris au cours du chapitre sur les méridiens des médecines chinoises et japonaises, il est possible de soigner et de guérir sans manipulation ni massage physique. Le système tantrique – l'ancêtre de toutes les écoles de yoga en Inde – possède sa propre dynamique basée sur un ensemble de *chakras*, tourbillons d'énergie ou lotus, situés sur des plexus nerveux le long de la colonne. La séquence qui suit permet de traiter les individus qui, pour une raison ou pour une autre, ont du mal à supporter un massage physique. Elle peut également être utilisée en complément, en préalable ou comme suivi d'autres formes de traitement. Dans une recherche d'équilibre, il serait bienvenu de travailler l'ensemble des sept chakras, en commençant par ceux du bas. Les trois présentés ici vous inciteront peut-être à approfondir le sujet. Ceux qui s'intéressent à cette science ancienne auraient tout intérêt à étudier les systèmes énergétiques tantriques. Gardez toujours à l'esprit que vous n'êtes qu'un instrument de canalisation de l'énergie, pas sa source. Purifiez-vous toujours énergiquement, notamment par la technique de la cascade (cf. page 31), avant et après chaque traitement.

△ 1) Établir le contact

Comme toujours, avant de commencer une séquence, assurez-vous que votre partenaire tient sa tête dans l'axe du cou et de la colonne. Sachant que j'interviens sur l'aspect le plus subtil et le plus intime de l'autre, je prends toujours la précaution de demander explicitement ou implicitement la permission et le feu vert avant de commencer ce type de travail.
Posez vos mains délicatement sur les épaules de votre partenaire pour établir un contact initial, et synchronisez vos rythmes respiratoires.

◁ 2) Sahasrara : le chakra coronal

Le point concerné ici est situé tout au sommet de la tête – à l'emplacement de l'épi (*Mardhi marma*) et à la sortie du canal énergétique appelé *Sushumna nadi*. La glande associée à ce point est la glande pinéale, qui n'est généralement active que chez les enfants de moins de huit ans. Je préfère ne pas couvrir le point et encercler la zone de mes mains – le contact physique n'est nécessaire sur aucun de ces *chakras*: avec l'expérience, vos mains seront tout aussi efficaces à 2,5 cm de distance de la tête. Au moment d'encercler le point, visualisez un lotus doré – incarnation parfaite de tout l'être énergétique.

3) Ajna chakra ▷

L'*Ajna chakra*, communément appelé troisième œil ou *chakra* frontal, est la zone de massage de l'hypophyse, le grand régulateur du système endocrinien. Son équilibre garantit le bon fonctionnement des hormones. Tenez votre main devant le centre, visualisez un lotus à plusieurs pétales blanc fumé.

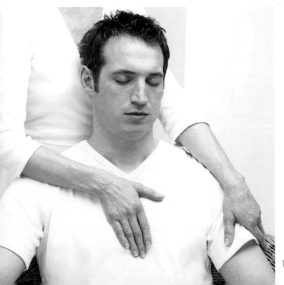

◁ 4) Anahata : le chakra cardiaque

Le centre cardiaque, ou *Anahata chakra*, est le siège de la compassion. La connection à ce centre créera un puissant lien énergétique avec votre partenaire, et pourra l'aider à se mettre à l'écoute de l'aspect cœur/compassion de son moi.

Formules de gommages et de masques du visage

Le jour où vous découvrirez dans la glace un étranger ridé et abattu et où vous vous demanderez si le coût d'un lifting se justifie, envisagez sérieusement les moyens de limiter les dégâts. Pour commencer, voici quelques bonnes nouvelles : nul besoin de chirurgie esthétique pour avoir l'air jeune, un sourire suffit. C'est le meilleur de tous les liftings ! Il vous remontera le moral et fera chaud au cœur de ceux qui vous entourent. Bien sûr, vous pouvez également pratiquer le yoga, apprendre à appliquer certaines techniques d'automassage et à connaître mes formules de gommage et de masque !

✱ Exfoliant facial *(convient à tous types de peau)*

Ingrédients 1 c. à café d'amandes pilées ou de flocons d'avoine * 1 c. à café de riz brun sec pilé * 3-4 c. à café de crème pour le visage (si la peau est sèche) ou de lotion légère (si la peau est grasse) * 2-3 gouttes de jus de citron vert ou jaune.

Méthode Mélangez les ingrédients avec une petite cuiller en bois, et appliquez soigneusement sur le visage à l'aide d'un blaireau en soies naturelles. Fermez les yeux pendant toute la durée de l'opération et veillez à contourner les orbites et les lèvres. Dès que le mélange a pénétré dans la peau et l'a débarrassée de ses cellules mortes, rincez abondamment à l'eau chaude ou à l'eau de rose. Séchez en tamponnant le visage avec une serviette chaude.

✱ Gommage facial au sel de mer fin *(ne convient pas aux peaux sensibles)*

Méthode Parsemez 1 c. à café rase de sel de mer fin sur un gant de toilette chaud et humide. Fermez les yeux et massez le visage avec le sel en veillant à contournez les orbites et les lèvres. Juste après l'application, rincez abondamment à l'eau froide pour resserrer les pores. Séchez en tamponnant avec une serviette.

✱ Astringent naturel *(convient plutôt aux peaux grasses)*

Méthode Après un gommage au sel de mer fin, vous pouvez utiliser des poires mûres écrasées comme astringent sur une peau grasse. Tamponnez légèrement avec un linge en coton fin sur le visage en veillant à contourner les orbites. Laissez reposer quelques minutes pour que votre peau absorbe les enzymes, puis retirez l'excès avec un tissu froid. Laissez la peau sécher à l'air.

✱ Masque facial *(convient à tous types de peau)*

1 c. à café de crème pour le visage, 1-2 c. à café d'eau de rose (pour les peaux moyennes à grasses) * ou une petite quantité de lotion faciale riche (pour les peaux sèches).

Méthode Mélangez soigneusement les ingrédients. Appliquez ce masque avec un pinceau de maquillage en poils naturels, en contournant les orbites et les lèvres. Si vous utilisez de l'eau de rose, conservez le masque humide avec de fines rondelles de concombre épluché. Laissez reposer dix minutes, puis rincez à l'eau de rose chaude. Séchez en tamponnant avec une serviette fine.

Les soins capillaires

J'aimerais profiter de l'occasion pour aborder la question des soins capillaires. Certaines des idées présentées ici peuvent sembler une gageure, mais mon expérience comme celle de mes amis et de mes étudiants m'ont montré qu'elles donnent des résultats étonnants.

L'onction naturelle

Faites du bien à vos cheveux en ne les lavant pas pendant plusieurs jours. Ils s'imprégneront ainsi d'un riche cocktail de graisses naturelles composées de minéraux et de secrétions sébacées. Ce procédé peut sembler peu ragoûtant dans une culture obsédée par la propreté, mais il existe des moyens de ne pas avoir l'impression de « se sentir sale ». Si vous avez les cheveux longs, attachez-les. Brossez-les ou peignez-les deux fois par jour et massez votre cuir chevelu aussi souvent que vous le pouvez pour stimuler les sécrétions naturelles bienfaisantes.

Les produits organiques

Si vous teignez vos cheveux, évitez les colorants non-organiques, en particulier l'eau oxygénée. Essayez de laver et de traiter vos cheveux avec des ingrédients naturels bon marché tels que le jaune d'œuf (pour les cheveux normaux à secs), le blanc d'œuf ou une infusion corsée à la camomille (pour les cheveux gras ou équilibrés).

Les traitements à l'argile chaude

On trouve actuellement toutes sortes de traitements à l'argile chaude sur le marché – mode à laquelle, pour une fois, j'adhère totalement. Ces produits riches en minéraux sont facilement absorbés par les follicules capillaires et redonnent de l'éclat aux cheveux fatigués.

La couleur naturelle

Pourquoi les femmes d'un « certain âge » n'accepteraient-elles pas leurs cheveux gris ? Pourquoi rester esclave des colorations ? C'est peut-être l'occasion de se faire couper les cheveux pour se débarrasser des pointes abîmées, décolorées et maltraitées. Un nouveau départ peut vous redonner confiance. Prenez les devants ; sautez avant que l'on ne vous pousse !

Traitement et coiffure

Les beurres de noix de coco ou de cacao sont des produits capillaires imbattables d'un point de vue rapport qualité-prix. Massez les cheveux et laissez reposer quinze minutes avant de les laver et de les rincer. Autre conseil précieux : vous abîmerez beaucoup moins vos cheveux si vous les peignez par petits coups de brosse en remontant des pointes au cuir chevelu, au lieu de les peigner depuis la racine.

Le sens du brossage

Brossez soigneusement vos cheveux en remontant des pointes à la racine. L'idéal est une moyenne de cinquante coups de brosse par jour. Séchez vos cheveux à l'air libre avec vos doigts sans utiliser un séchoir.

Changer de coiffure

Beaucoup de gens se cachent derrière un rideau de cheveux et se demandent pourquoi ils sont mentalement épuisés, déprimés et physiquement « vidés ». Changer de coiffure, même si cela se limite à se coiffer légèrement différemment, peut avoir un effet spectaculaire. Non seulement vous ressentirez les choses et agirez autrement, mais votre entourage vous verra sous un nouveau jour. Traitez vos cheveux avec naturel et gentillesse, et ils vous le rendront.

L'automassage des cheveux et de la tête

△ 1) La spirale

À l'aide de l'index et du majeur, frottez le cuir chevelu par des mouvements de spirale en décollant et en aérant les cheveux. Cette technique toute simple donne du « corps » à vos cheveux et tonifie le cuir chevelu. Elle vous permet de recharger vos batteries lorsque vos énergies mentales faiblissent.

△ 2) L'effleurage

Du bout des doigts, faites de petits mouvements circulaires en décollant le cuir chevelu. Poursuivez sur toute la tête. Ce geste soulage souvent instantanément les maux de tête, tout comme la simple traction des cheveux au ras du cuir chevelu.

△ 3) Le ratissage du cuir chevelu

Passez vos mains sur votre visage de bas en haut, puis ratissez vos cheveux avec les doigts. Recommencez en remontant de la nuque au sommet de la tête. Ce geste procure un soulagement mental instantané après une journée bien remplie.

Faire le vide

Des idées claires et sereines

Lorsque vous en êtes au stade où vous passez votre temps à critiquer, à vous plaindre et à justifier vos paroles et vos actes, vous vous trouvez dans un état d'agitation mentale et d'épuisement physique. Vos amis vous évitent, d'où un cercle vicieux qui entretient cet état d'esprit. Chercher la meilleure solution et le meilleur en chacun de nos interlocuteurs est un moyen de commencer à faire le vide mentalement. Tout d'abord, vous devez décider que tout ce qui vous arrive est bénéfique et que toute expérience est riche d'enseignements. Ce n'est nullement une attitude farfelue, car vous restez conscient des pièges et des conséquences de vos actes. Simplement, ne vous attardez pas sur le mauvais côté de chaque chose.

Les commérages constituent eux aussi une mauvaise habitude, une perte de temps et d'énergie. Ils sont une sorte de drogue lorsque nous nous trouvons en « phase d'attente » et que rien ne semble se passer dans notre vie. L'échange créatif d'idées est beaucoup plus productif et stimulant. Réfléchir aux moyens d'apporter son aide dans une situation, accepter de ne pas pouvoir, se détacher de l'issue, voilà qui vous aidera à bien gérer votre temps et votre énergie.

Nous avons déjà parlé de l'importance du dépouillement physique de l'espace. C'est un processus constant qui nécessite de la patience, de la persévérance et une pratique sereine. Commencez et faites ce que vous pouvez. Il est trop facile de découvrir quelque chose de formidable et d'utile dans sa vie et d'employer son zèle à l'imposer aux autres. À vous de jouer cette fois-ci !

Une approche positive

Lorsque toutes vos obligations se disputent votre attention, dressez-en la liste et procédez par ordre. Pensez aux progrès que vous avez faits plutôt qu'à tout ce que vous n'avez pas encore pu faire.

Songez à utiliser la démarche de l'affirmation positive pour changer d'état d'esprit. Le tantra et le yoga ont toujours prôné l'utilisation d'une affirmation courte et positive – le *Sankalpa* – qui porte sur un besoin ou une aspiration à court terme. Les preuves de son efficacité ne manquent pas.

L'amour apporte l'harmonie et un sentiment d'unité avec votre vie la plus secrète. C'est l'amour qui crée une véritable sensation de paix intérieure et clarifie l'esprit pour que l'avenir nous apparaisse très clairement.

Sankalpa : une suggestion quotidienne

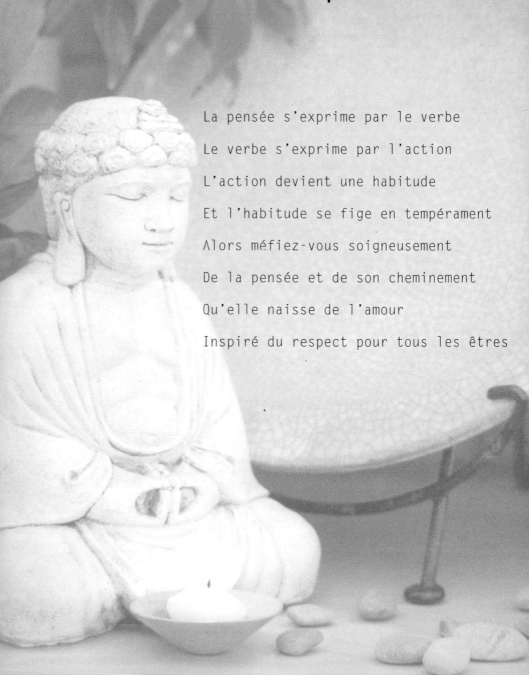

La pensée s'exprime par le verbe

Le verbe s'exprime par l'action

L'action devient une habitude

Et l'habitude se fige en tempérament

Alors méfiez-vous soigneusement

De la pensée et de son cheminement

Qu'elle naisse de l'amour

Inspiré du respect pour tous les êtres

Index